COMMENT VIVRE AVEC UN MALADE CANCEREUX

Manette LE LAUZET - Sylvie PUCHEU

COMMENT VIVRE AVEC UN MALADE CANCEREUX

Éditions Josette Lyon
11 bis, rue Georges-Saché
75014 Paris

ISBN 2-906757-29-2
© Josette Lyon, 1989

INTRODUCTION

De nos jours, l'annonce d'un cancer provoque toujours un effet perturbateur, nous dirions presque un séisme, tant pour le patient que pour son entourage.

Tout est remis en question : l'avenir du patient, l'équilibre de la famille. De plus, les traitements lourds associés au cancer sont souvent ressentis comme des agressions que le patient doit « supporter ». Parfois, ils entraînent même des mutilations.

Autant d'éléments qui sont source d'angoisse, d'affolement, sinon de dépression pour le patient et les siens. On assiste à des attitudes plus ou moins adaptées, plus ou moins faciles à vivre[1].

A tous les stades de la maladie, au moment de la guérison aussi, viennent interférer les points de vue du patient, de la famille, des médecins et du personnel soignant, peut-être

1. Nous ne parlerons pas des enfants malades, sujet qui mériterait un ouvrage à lui seul.

même de la société toute entière (« Le mythe du cancer »).

« Comment vivre avec un malade cancéreux », comment connaître les comportements, les ressentir et ainsi, faire face aux événements.

Nous ne pensons pas, bien sûr, donner réponse à tout. Nous espérons simplement vous permettre de reconsidérer votre situation, de mieux la comprendre, ainsi de mieux la vivre.

Sept ans d'expérience dans le service du Professeur C. Jacquillat, à l'hôpital de la Salpêtrière (Paris), pour Sylvie Pucheu, et une longue expérience de journaliste spécialisée pour Manette Le Lauzet, nous ont permis de chercher pour chaque situation la solution la plus appropriée.

Au cours de cette lecture, vous remarquerez souvent ce signe : *. Il est destiné à éviter des répétitions et renvoie à une personne capable de vous écouter, neutre en quelque sorte. (Voir plus en détail la conclusion.)

LE MYTHE DU CANCER

Le cancer se présente encore aujourd'hui comme un des fléaux des temps modernes. L'idéal serait de penser que la médecine, un jour, le maîtrisera, comme elle maîtrisera toutes les autres maladies. Ce n'est pas encore le cas.

Notre propos est de vous éclairer et de vous aider à démystifier les idées reçues. En effet, bien que l'on guérisse déjà un certain nombre de cancers, celui-ci reste encore dans l'esprit des gens synonyme de maladie « honteuse », menant à une mort inéluctable.

En 1982, une concertation nationale regroupant un grand nombre de cancérologues, a conclu que ce mythe ne touchait pas tout le monde de la même façon. Par exemple, selon les milieux sociaux, la fréquence d'une consultation gynécologique est très différente. Certaines femmes vont voir leur gynécologue tous les six mois, d'autres, jamais ; ce qui, d'emblée, ne donne pas les mêmes chances de guérir à tout le monde.

Vous qui êtes touché(e) par la maladie cancéreuse d'un des vôtres, parlez-en autour de vous. Sachez qu'il existe des consultations spécialisées dans tous les hôpitaux.

L'ELOIGNEMENT DE L'ENTOURAGE

Une conséquence du mythe : *l'éloignement de l'entourage.* Peut-être serez-vous étonné(e), sinon blessé(e), par l'attitude surprenante de vos amis, de votre famille elle-même qui, apprenant la maladie de votre proche, s'éloignent de vous, alors qu'à ce moment précis, vous avez au contraire besoin de leur soutien.

... ET LA PEUR DE LA CONTAGION

On a beau dire et redire en effet dans les médias et la presse que le cancer n'est ni contagieux, ni héréditaire (il existe seulement des familles ou des terrains dits « à risque », encore que cela reste à prouver), le plus souvent, son nom seul fait peur et représente encore pour beaucoup le mal absolu. Ainsi, trop de gens, plus ou moins consciemment, ont-ils tendance à s'éloigner et à rejeter la personne atteinte de ce mal.

Vous qui cherchez au contraire à aider votre parent, vous subirez aussi cet isolement, cette solitude.

Très significatif à cet égard est l'exemple de

Martin, qui vit en milieu rural : « *Il est seul, seul et révolté. Sa femme et lui-même ont été atteints d'un cancer, à un an d'intervalle. Sa femme est décédée il y a quelques mois. Depuis ce moment, tout le monde le fuit. Ses beaux-parents ne lui adressent plus la parole : "Pour eux, je suis un pestiféré" dit-il. Il reste seul avec deux filles mineures que sa belle-famille cherche à lui reprendre ; les deux aînées ont quitté la maison. Ses amis ne viennent plus le voir, un rare collègue de travail, parfois. Ayant eu récemment la visite de l'un d'eux, ce dernier lui a dit : "Tu vois bien que c'est contagieux, le cancer, puisque ta femme l'a eu et que tu l'as attrapé."* »

Cet exemple extrême prouve l'influence que peut encore avoir un tel mythe.

Mais est-ce la contagion ou la fuite devant tout ce qui touche la mort de près ?

Si l'on peut parler d'ignorance à propos du cas de Martin, c'est sans doute que la proximité de la mort fait peur à son entourage. Notre société occidentale cherche à la nier et tout ce qui la rappelle épouvante.

Vos amis, votre famille, angoissés eux aussi, ont tendance à avoir le même comportement d'éloignement : c'est la politique de l'autruche.

En cherchant à vous éviter, vous et votre malade, en niant la situation par la fuite, ils croient se protéger de la maladie et ne sont même plus capables d'envisager le mal qu'ils vous font.

Comment faire pour rompre votre isolement à tous deux ?

Ne vous en tenez pas là. Agissez d'une façon ou d'une autre. Faites les premiers pas, cherchez à informer votre entourage, à chasser de son esprit ces croyances infondées et pernicieuses. Montrez-lui qu'on peut vivre « avec » et « malgré » la maladie, parfois mieux qu'avant, et cela, parce qu'on sait maintenant ce qu'est le prix de la vie.

ILS N'OSENT PLUS SE MANIFESTER

Certains amis ne vous donnent plus signe de vie, car ils se sentent maladroits. Ils ont peur de vous obliger à évoquer votre douleur, peur d'apprendre de mauvaises nouvelles. *En rompant vous-même ce silence,* vous leur prouverez que, même confrontés à des épreuves pénibles, la vie ne s'arrête pas. Il faut *continuer à s'intéresser aux autres,* avoir des échanges avec ses amis. Une fois surmonté le choc du diagnostic, il est indispensable de rester dans le fil de la vie quotidienne. En vous manifestant les premiers, vous détendrez cette atmosphère de non-dit qui se produit souvent dans ce genre de situation.

Ne vivez pas en vase clos.

Les gens sont souvent plus fragiles que vous ne le pensez. Certains sont incapables de vous aider. Plus vous attendrez d'eux un soutien, et plus ils auront tendance à s'éloigner. Que faire alors ?

En allant vers eux, ils comprendront que, malgré ce cancer de leur ami(e), vos relations ne sont pas changées, et qu'une visite, un coup de fil, resteront toujours les bienvenus.

Si vous sentez votre entourage incapable d'entendre vos préoccupations, mieux vaut alors parler de vos angoisses et de vos soucis à une personne qualifiée, neutre * (psychologue) ou anonyme (Ecoute cancer).

Pour ne pas vivre en vase clos, si votre malade est suffisamment valide et qu'il en ait envie, pourquoi ne pas l'entraîner au-dehors ? Une bonne marche, une visite au musée, une séance de cinéma, une halte à la terrasse d'un café seront bénéfiques pour vous deux. Et s'il ne veut pas vous suivre, distrayez-vous un moment, sans remords : vous serez plus détendu et par là même, plus disponible pour lui (elle).

LA MALADIE CANCEREUSE, SES ETAPES ET LEUR VECU

La découverte de la maladie

POUR LE MALADE, LA CONFRONTATION AVEC LE RISQUE DE MORT

L'annonce d'un diagnostic défavorable, redouté déjà, agit comme une douche glacée : le malade est comme assommé, anesthésié par cette révélation. Il « n'entend » plus les paroles du médecin, ni les explications à propos du traitement que celui-ci envisage d'entreprendre pour le soigner et le guérir.

« Ainsi, Jean-Michel, ayant appris de la bouche du chimiothérapeute qu'il avait la maladie de Hodgkin, mais qu'on allait l'en tirer, n'avait retenu que les premiers mots : il s'était montré incapable d'écouter les propos qui avaient suivi.

Quelques minutes après avoir quitté le cabinet du médecin, il demandait à nouveau à être reçu par lui. Il n'avait, dit-il, rien compris aux indications thérapeutiques qui lui avaient été données.

De toutes les explications précises qu'il avait reçues, Jean-Michel n'avait retenu qu'un seul mot : Hodgkin. »

Cet exemple montre bien que tout diagnostic de cancer, même guérissable, est vécu, dans un premier temps, comme une confrontation à une mort possible. D'où cet effet d'anéantissement. Vous-même, conjoint ou parent, pouvez être saisis de la même manière.

Ne laissez pas de question sans réponse

Dans un cas semblable, n'hésitez pas à consulter à nouveau le médecin avec votre parent, pour lui demander des éclaircissements supplémentaires, et cela, après avoir retrouvé votre calme.

Votre parent est traumatisé

Certains patients ne peuvent dépasser ce traumatisme et la maladie envahit totalement leur existence.

Tout ce que vous pouvez dire ou faire pour rassurer votre parent n'aura aucun effet sur son anxiété et ses obsessions. Toute personne, à un moment de la vie, peut être submergée par ce qui lui arrive. Encouragez-le à exprimer son angoisse auprès d'une personne qualifiée *. Parlez-en vous-même au médecin, qui jugera peut-être utile de lui prescrire des anxiolytiques, ou même des anti-dépresseurs.

Pourquoi moi ?

Cette question, votre parent se la posera peut-être après le choc du diagnostic. Elle est bien décrite par un patient guéri, qui raconte comment il attendait les résultats de ses examens avant le verdict définitif : « ... *devant l'évidence trop criante, on baisse les bras, s'avouant vaincu, miné par la révolte et l'injustice de cette condamnation qui frappe aussi aveuglément. Pourquoi moi ? et pas un autre ? Qu'ai-je fait pour mériter pareille sentence ?* »

Tout individu a tendance à se sentir plus ou moins coupable de certains actes qu'il a accomplis et peut alors ressentir la maladie comme une punition.

POUR L'ENTOURAGE, LA CONFRONTATION AVEC LE RISQUE DE PERTE D'UN ETRE CHER

Chacun se croit invulnérable et croit que tous ceux qui l'entourent le sont aussi. Et c'est un choc d'apprendre que l'un des siens va peut-être disparaître, que le cadre de vie familial et sa stabilité sont tout à coup remis en question.

Après le traumatisme subi, vous ne réagirez pas sous l'effet du hasard mais bien plus en fonction de votre personnalité et des liens qui vous attachaient jusque-là à la personne malade.

Plusieurs solutions s'offrent à vous

La personne malade vous protège

Vous êtes de ceux que la maladie angoisse, que la perte des repères habituels rend très vulnérable.

Ne vous laissez pas envahir par ce sentiment, cherchez à en parler autour de vous si vous ne vous sentez pas capable d'aider votre parent. Examinons le cas de Georges : « *On n'a jamais vu sa famille, ni conjoint, ni parent, dans le service hospitalier où il est soigné !* » *L'équipe médicale s'en étonne. A cette question, il répond : « Ma femme va bien, tant que je ne lui demande pas de s'occuper de ma maladie. D'ailleurs, je préfère venir seul car je ne veux pas imposer à mon entourage ni cette maladie ni mes traitements.* »

D'autres que lui affichent la même attitude, cherchent à vous protéger, veulent assumer seuls leur cancer et n'en point parler. Alors, ils trouveront mille astuces pour justifier leurs absences et suivre leurs traitements, voire subir une intervention chirurgicale clandestinement. « *Ainsi, Raymonde, dont le métier l'amenait à souvent se déplacer et qui a saisi le prétexte d'un voyage à l'étranger pour entrer en clinique et se faire opérer d'un cancer du sein. Personne dans son entourage n'a jamais soupçonné quoi que ce soit.* » Mais tout le monde n'a pas la force de caractère suffisante ni un genre de vie qui peuvent se prêter à une semblable mise en scène.

C'est vous qui protégez votre parent

Vous prenez les devants, c'est vous qui posez les questions, qui faites les premières démarches.

Au début de sa maladie, cela peut être une attitude rassurante pour votre parent. Toutefois, il ne faut pas pour autant le mettre dans une situation de trop grande dépendance à votre égard, qui serait d'ailleurs pour vous, à long terme, difficile à assumer car vous ne pourrez plus y échapper.

« Christiane, elle, n'a pas hésité à prendre, seule, une décision radicale pour le bien de son mari — du moins le pensait-elle. Son mari avait été opéré de polypes ; c'est ce qu'on avait dit à ce dernier. En réalité, on lui avait retiré le côlon. Les médecins se renvoyant la balle mutuellement, elle a eu beaucoup de mal à connaître le résultat de l'intervention : « Il a un début de cellules cancéreuses » lui a-t-on dit, « vous n'avez plus qu'à l'emmener à la montagne et tout ira bien ». Ce qu'elle a fait. Quelques semaines plus tard, son mari se plaignit de vives douleurs. Une coloscopie confirma une récidive, mais aucun traitement ne fut prescrit au malade. Ses souffrances s'aggravant, elle prit les choses en mains et demanda pourquoi on ne lui faisait pas de chimiothérapie. « Vous savez dans quel engrenage vous allez l'entraîner ? » lui répondit-on. « Croyez vous votre mari capable de supporter une chimio ? » Tenace et habile, elle trouva les arguments convaincants pour lui faire accepter des séances de chimio-

thérapie, qu'il toléra finalement très bien, qui soulagèrent ses souffrances et entraînèrent une grande amélioration.

Vous décidez de vous battre ensemble et d'espérer

C'est évidemment l'attitude la plus souhaitable. Ce qui ne signifie pas pour autant que vous manifestiez les mêmes réactions au même moment, mais que vous pouvez, chacun à votre tour, vous remonter le moral. Si l'on dit « souhaitable », il ne s'agit pas d'affirmer que tout le monde doit réagir de cette manière, mais que c'est sans doute le comportement le plus facile à vivre.

Cependant, si la maladie s'aggrave, vous pouvez être amené à le modifier. Alors, vous aurez le sentiment de ne plus pouvoir dire à l'autre l'entière vérité, situation délicate que vous vivrez peut être comme une forme de mensonge. Essayez de faire la part des choses, et si c'est trop lourd, parlez-en si besoin est à une tierce personne * qui pourra vous conseiller.

LA QUESTION DE LA VERITE

Dire ou ne pas dire la vérité au malade ?

Dans les pays anglo-saxons, on la dit obligatoirement aux patients, qui la supportent comme ils peuvent. Il y a dix ans encore, ce n'était pas l'avis des cancérologues français, mais cette attitude change. On a de plus en plus tendance aujourd'hui à dire le « vrai », car la société, elle aussi, a évolué et le pouvoir médical en a été modulé.

Peut-on cependant suivre Anne Ancelin-Schutzenberger lorsqu'elle écrit : « Il vaut mieux être vivant, connaître la vérité et se bat tre, que mort, mort pour avoir été ménagé ? » Certes, mais les choses ne nous semblent pas aussi simples. L'information diffusée dans les médias et la presse écrite sur le cancer est de plus en plus abondante. Il paraît à peine croyable, de nos jours, qu'un sujet atteint puisse ignorer les principales caractéristiques de cette maladie. Ce qu'il va penser, croire, apprendre de son état dépend de l'information transmise par le médecin mais aussi, c'est essentiel, de sa capacité à la recevoir.

N'oublions pas que la révélation du diagnostic ou sa perception plus ou moins implicite constitue un traumatisme terrible, entraînant un afflux d'angoisse — angoisse de mort en particulier. Nous avons tous nos mécanismes de défense face aux événements qui nous agressent parfois au cours de l'existence. Ainsi, inconsciemment, choisissons-nous le mode de défense qui nous permet de mieux tolérer les chocs et les angoisses. Certains seulement sauront combattre « avec lucidité » la maladie (cf. « Attitudes et mécanismes de défense »).

René, ancien malade, donne cette description des différentes catégories de patients face à la vérité qui leur est donnée :
— ceux qui veulent savoir et qui feront face,

— ceux qui veulent savoir et qui ne feront pas face,
— ceux qui ont des doutes mais qui préfèrent ne pas savoir,
— ceux qui refusent même de penser au problème et qui n'admettent l'évidence qu'au stade ultime de la maladie,
— enfin, ceux qui ne se posent pas de questions, qui n'en parlent jamais et subissent tout avec une parfaite docilité.

« *Tel est le cas d'Edouard qui, quelques mois avant l'apparition d'une métastase au cerveau, avait été opéré de petits kystes bénins dans le cuir chevelu. Peu au courant des choses de la médecine et n'ayant jamais été malade auparavant, il posa peu de questions. Opéré une première fois de cette tumeur cérébrale, il dut subir un mois plus tard l'ablation d'un rein. A ce moment-là, il demanda à sa femme pourquoi on intervenait à nouveau. Celle-ci eut tout à coup une idée : elle lui expliqua qu'il avait encore des petits kystes et qu'au lieu de les avoir "à l'extérieur", comme ceux du cuir chevelu, il les fabriquait maintenant à l'intérieur de son corps : un kyste dans le cerveau, un dans les reins ; que, de toutes façons, se trouvant déjà hospitalisé, il valait mieux en profiter pour les retirer. Cette réponse le satisfit pleinement. Il n'en demanda jamais davantage et raconta à ses amis "qu'il faisait des petits kystes partout et que c'était 'assommant' ; sans plus."* »

En réalité, chaque patient s'adaptera à l'information qui lui est donnée et qui lui permet de « vivre avec ». Il aura ses propres explications de sa maladie, choisira « son » mot : « boule », « kyste », « tumeur », « cancer »...

Ainsi, il n'est pas conseillé d'adopter les deux attitudes extrêmes.

— L'une consistant à laisser le patient dans l'ignorance,
— l'autre à lui asséner la vérité avec brutalité, en le laissant s'en débrouiller.

Cette vérité doit se concevoir dans une relation à long terme avec le médecin, modulée au fil des jours. Etant à l'écoute de son patient, le médecin lui donnera au fur et à mesure les informations qu'il est prêt à entendre.

Cette situation est quelque peu idéale. Peut-être sera-t-il utile d'en discuter avec le médecin.

Bien souvent, c'est encore à vous que la vérité sera d'abord annoncée, contrairement à l'usage qui voudrait que le malade soit le premier informé. (Relation médecin-famille.)

La vérité du diagnostic est-elle objective ?

De quelle vérité s'agit-il en cancérologie, sinon d'une vérité statistique qui n'offre aucune garantie précise pour un patient donné ?

Il n'y a pas *un* cancer, mais *des* cancers :

— ceux qui guérissent le plus souvent
— ceux qui guérissent parfois
— ceux qui ne guérissent pas encore.

De ce fait, aucun médecin ne peut affirmer à un patient, vu pour la première fois, s'il guérira ou non. Ce qui est important à ce moment-là, c'est de lui offrir la possibilité de lutter, même si le diagnostic est sérieux. Dès lors que le traitement, quel qu'il soit, est entrepris, c'est que l'on mise sur une guérison possible, quand bien même tout laisse à penser qu'il y a peu d'espoir.

Vous croyez que votre malade n'est pas capable de supporter la vérité

C'est le cas de « *Janine. En effet, elle s'inquiète du comportement du chirurgien qui a opéré son mari d'un cancer du larynx. Malgré la demande de ne rien dire de la gravité du mal à son mari, le chirurgien la lui a annoncée sans préalable, en lui précisant qu'il n'était pas optimiste pour l'avenir.* »

Cette « vérité » a provoqué chez le patient angoisses et dépression, accentuées à chaque nouvelle visite de contrôle. Janine se demande : « Comment faire pour changer de médecin ? » On peut s'interroger avec Janine sur ce qui a poussé le chirurgien à asséner à son mari aussi brutalement, non seulement le diagnostic, mais un pronostic sévère, sans lui donner la chance de lutter. On comprend ses réactions ; il n'avait plus qu'à attendre la mort.

Mais ne serait-ce pas aussi l'attitude trop protectrice de Janine envers son mari qui a poussé le médecin à ce passage à l'acte ? Attitude qu'il n'aurait pas supportée ?

Autre exemple intéressant à ce titre, celui de « *Jean-Marc, jeune médecin, qui décèle très tôt chez son père un cancer du poumon. Jean-*

Marc, devant la découverte de ce diagnostic, le dit d'emblée à son père, ne lui en cachant pas la gravité. Celui-ci, apparemment, ne semble pas manifester la moindre émotion. Mais le problème qui se pose à Jean-Marc est de savoir s'il doit avertir également sa mère qu'il juge trop fragile. Après concertation avec ses deux frères, mis au courant, tous trois décidèrent de ne rien lui dire. Ainsi, confiante dans l'issue de la maladie, leur mère a pu faire face et avoir, jusqu'à la fin, un comportement normal avec son mari. » (On peut se demander aussi pourquoi Jean-Marc n'a pas agi de même avec son père.)

Finalement, faut-il « penser pour l'autre ? » Faut-il à tout prix protéger votre parent ? Faut-il à tout prix tout lui dire ? Cela mérite mûre réflexion, peut-être avec l'aide du médecin traitant ou d'une personne amie extérieure au milieu familial.

La meilleure attitude ?

En résumé, la vérité n'est pas uniquement une affaire de mots et chacun, médecin, entourage, patient, face à l'angoisse, réagit en fonction de ses propres défenses. Ne serait-ce pas en lui apprenant « un peu » de cette vérité (le diagnostic tout au moins) que le patient sera à même de lutter avec plus d'efficacité contre sa maladie ? Après tout, il s'agit de son propre corps et au départ, on doit lui donner toutes ses chances, tous les moyens de se prendre en charge pour lutter de son mieux. Cette information minimum pourra être dispensée au fur et à mesure de sa demande. Il faut aussi espérer qu'à l'avenir, les jeunes médecins acquerront une formation de plus en plus poussée sur cet aspect de leur profession.

Le bilan médical

LES PREMIERS SIGNES

Supposons qu'un jour survienne chez l'un des vôtres, conjoint, père, mère, enfant (adulte), un incident de santé qui l'alerte : un saignement inattendu, une diarrhée prolongée, la découverte d'une grosseur dans le sein, un grain de beauté qui change d'aspect. Mieux vaut ne pas attendre et consulter rapidement le médecin traitant ou le centre de dépistage. Les centres de médecine du travail sont également habilités à s'occuper de cette prévention. Le mot « dépistage » vous inquiète ? Rappelez-vous qu'un des critères de bon pronostic en cancérologie est de prendre la maladie à son tout début.

Si certains indices font pressentir au médecin une affection sérieuse, il demandera des analyses et des examens plus approfondis, et si le verdict de cancer est énoncé, se posera alors la question du choix du spécialiste.

LES EXAMENS

Pour beaucoup, l'entrée dans la maladie s'effectue au moment où il faut entamer toute une série d'examens permettant d'établir le bilan initial. Jusque-là, votre patient ne se sentait pas vraiment malade, et le voilà brusquement transporté dans un monde de blouses blanches et d'examens auxquels il ne comprend rien ! Cette confrontation est souvent source d'anxiété et d'interrogations : on s'empare de son corps, on parle prise de sang, scanner, radios, échographie... (cf. lexique), toutes choses qui vont devenir parties intégrantes et obligatoires de sa vie.

La vie sera souvent ponctuée par les divers examens

L'état de son corps sera chiffré par les analyses de sang, figé par les radios. De mauvais résultats pourront tout bouleverser. L'avenir de votre parent est ainsi soumis à l'épreuve des examens, au vu desquels seront prises de nouvelles décisions.

Ainsi, chaque mot, chaque commentaire de l'« examinateur » est-il interprété avec la surcharge d'angoisse — ou de soulagement — qu'on peut imaginer.

L'accompagnerez-vous à ses examens ?

Si votre présence doit être source de réconfort, faites votre possible pour accompagner votre parent aux examens qu'il appréhende le plus.

Pensez-y. Proposez-le-lui. Selon les jours et son humeur, sa réaction ne sera pas toujours la même. Bien qu'il ait besoin de votre présence, il n'osera peut-être pas vous imposer ces déplacements, ces attentes fastidieuses.

LA NECESSITE DE S'INFORMER

Le choix du spécialiste ou d'une équipe soignante fait intervenir plusieurs facteurs ; votre domicile : les problèmes seront différents selon que vous habitez un village isolé, un centre rural, ou une grande ville. Des décisions vont s'imposer : la clinique privée, plus proche de votre domicile ? l'hôpital ? le centre anticancéreux, plus éloigné ?

Beaucoup de gens bien intentionnés chercheront à vous aider en vous conseilllant « le meilleur » chirurgien, la « meilleure » clinique, où l'un des leurs ou eux-mêmes ont été opérés. Vous ne saurez plus que faire.

Attention ! *Ne vous laissez pas submerger de conseils* et demandez au praticien en qui vous avez confiance, de vous guider.

Posez-lui, si nécessaire, des questions sur les différentes solutions qu'il propose, en quoi il les juge plus ou moins adéquates. En effet, le médecin-traitant n'est pas forcément neutre. Il vous orientera vers l'équipe ou les spécialistes qui, à ses yeux, sont les plus compétents. Or, en matière de cancérologie, les méthodes thérapeutiques sont diverses. Aussi convient-il d'être bien informé sur tout ce qui existe avant de prendre la décision finale de suivre telle ou telle filière (cf. chap. relation médecin-malade).

Le choix d'un centre spécialisé

Si vous ne connaissez aucun médecin en particulier pouvant vous conseiller, il sera préférable de vous adresser à un centre spécialisé (hospitalier ou anticancéreux).

Glaner des informations ?

Après l'annonce d'un diagnostic et d'un traitement énoncés par un médecin, vous aurez peut-être envie d'en savoir davantage sur ce cancer qui vient de s'abattre sur votre parent.

Vous chercherez à glaner des informations à droite et à gauche. Vous serez tenté(e) d'acheter un dictionnaire médical, des revues spécialisées dont les termes techniques vous seront étrangers. Ce genre de démarche n'est pas à conseiller. Une émission de télévision, la lecture d'un article, des statistiques mal interprétées, peuvent faire plus de mal que de bien. *Dites-vous que votre malade est unique et que son cas ne ressemble à aucun autre.* Toute identification est dangereuse. De même, méfiez-vous des conseils généreusement distribués par les amis ou les voisins, « bien renseignés ».

Ecouter pour deux ?

Rappelez-vous comment la vérité peut être bien ou mal perçue au moment de la révélation du diagnostic ; aussi, s'il le souhaite, *accompagnez votre parent aux premières consultations,* d'une part, parce que ce sont des moments difficiles pour lui, d'autre part, parce qu'il faudra « écouter pour deux » les explications du médecin que le patient, bien souvent, ne parvient pas à intégrer en une seule fois.

D'une façon générale, faut-il l'accompagner aux consultations ?

Certaines personnes désirent être tête à tête avec leur médecin et lui parler en toute liberté ; d'autres, en revanche, souhaitent la présence réconfortante d'une compagne ou d'un compagnon à leur côté.

Vous connaissez bien votre mari, votre femme, votre père, mère, etc. Vous l'aimez et c'est vous qui jugerez opportun ou non, soit de l'accompagner et d'attendre dans la salle d'attente pendant l'entretien, soit d'assister avec lui (elle) à la consultation.

Sachez aussi que patienter dans une salle d'attente de médecin ou dans un couloir d'hôpital représente une épreuve, la rencontre avec d'autres gens souffrants, peu rassurante, et que cela accroît la nervosité et l'inquiétude. Blindez-vous !

LES RAPPORTS DU MALADE AVEC SES MEDECINS

De la première rencontre entre votre parent(e) et son consultant peuvent découler des rapports plus ou moins faciles.

L'acceptation des traitements prescrits, liée

à l'espoir de guérir, sera due en grande partie à la relation que votre proche va instaurer avec son médecin (généraliste et spécialistes).

Le contrat de confiance

Chaque médecin que votre parent(e) va croiser sur sa route sera bien souvent jugé selon qu'il a bien ou mal orienté. Le contrat qui s'instaure tacitement entre patient et médecin est le résultat d'un « transfert » : le (ou les) médecin(s) devient (deviennent) porteur de l'espoir de guérison.

Le contrat de confiance ne vous semble pas instauré : incitez-le à changer de médecin

Il vous revient alors de le convaincre et de l'aider à consulter rapidement un autre médecin, ou une autre équipe. Car cette confiance est primordiale pour supporter les traitements, souvent agressifs ou vécus comme tels, que votre parent va être amené à subir.

Acceptez sa relation de dépendance avec le médecin

Ce nouveau statut de malade implique une relation de dépendance vis-à-vis du (des) médecin(s). Celui-ci (ceux-ci) devient (deviennent) détenteur(s) d'un savoir dont votre patient ne peut plus se passer. Cette situation de vulnérabilité, de rupture avec la vie « d'avant la maladie » réveille souvent, plus ou moins consciemment, l'enfant qui sommeille en chacun de nous.

Ainsi, ayez toujours à l'esprit que votre parent aura de ce fait avec son (ou ses) médecin(s) un rapport privilégié, dont vous vous sentirez parfois exclu(e). Ne soyez donc pas étonné(e) de certaines réactions inhabituelles ou inappropriées quand il se trouve face à son médecin. Ce dont il se plaint à vous, il n'osera pas en faire état le jour de sa consultation. Mais avec vous, il peut à l'occasion, se montrer agressif. Sachez qu'il a autant besoin de se plaindre à vous que de maintenir une bonne relation avec son médecin : il y tient avant tout.

« Ainsi, Antoine critique l'établissement dans lequel il est traité ; il semble mécontent des soins, mécontent du personnel hospitalier. Peut-être a-t-il de vraies raisons de se plaindre ? Mais peut-être est-ce aussi son mode de défense face à la maladie et aux traitements qu'il endure douloureusement ? La famille voudrait en avoir le cœur net et prendre contact avec le chef de service. Mais Antoine s'y refuse. Il ne veut à aucun prix que sa famille s'en occupe car, dit-il, "il y aurait des représailles et j'en serais la victime." »

Du côté du médecin

Le médecin sent bien ce qu'il représente pour votre parent et sa tâche n'est pas toujours aisée. En fait, il doit s'engager à informer son patient et sa famille, à toujours dire et parler

« vrai » (cf. la vérité), à lutter pour le soigner ou empêcher sa souffrance et à ne jamais l'abandonner, même s'il n'y a plus d'espoir de guérison.

Colmatez les maladresses du médecin.
Ne les soulignez pas

Peut-être, à juste titre, ressentez-vous comme une blessure pour votre parent une maladresse commise par le médecin. Passez-la sous silence. Cherchez plutôt à en parler au médecin en particulier pour l'aider, lui aussi, à mieux comprendre les réactions de son malade.

Surmontez sa timidité

Rappelez-vous l'histoire de Jean-Michel (cf. découverte de la maladie) qui nous montre comment l'annonce d'un diagnostic de cancer peut agir sur une personne qui « n'entend plus » ce que le médecin lui dit à propos des traitements qu'il va entreprendre. Toutes les consultations n'ont pas cette même intensité émotionnelle, mais toutes recèlent une angoisse latente ; peur que le traitement ne marche pas ?

Demandez au médecin ce que votre parent n'ose lui demander lui-même

Ainsi, le jour d'une consultation, vous serez amené(e) à poser quelques questions, à demander des éclaircissements supplémentaires *à la place* de votre parent(e). Vous êtes en droit de manifester certaines inquiétudes, certains reproches. Cela dit, évitez d'être trop agressif (agressive). Les médecins, comme tout un chacun, supportent mal de se sentir jugés ou mis en échec. Cela pourrait nuire à leur relation avec votre parent(e). Celui-ci (celle-ci) peut en effet souffrir de rapports trop conflictuels autour de lui.

L'angoisse du médecin

Un malade dit « condamné », trop « agressif » ou trop « déprimé », suscite, chez le médecin aussi, une angoisse qu'il n'est pas toujours capable de reconnaître comme telle et de maîtriser. Alors, inconsciemment, il aura tendance à abréger sa consultation « faute de temps », ou bien à parler lui-même longuement pour éviter les questions.

Avant la consultation, préparez ensemble les questions à poser

C'est en les notant à l'avance tous les deux, en incitant votre parent(e) à exprimer son inquiétude, ou bien en le faisant à sa place, que vous favoriserez l'échange le plus positif lors d'une consultation. S'il a été difficile de poser ces questions, alors essayez de le convaincre de prendre un rendez-vous avec son médecin-traitant. Le rôle de ce dernier est également de répondre à vos demandes tout au long de la maladie et de vous aider à affronter tout cet arsenal de soins que constitue un centre de cancérologie.

Respectez son autonomie

Votre parent(e) est peut-être de ceux qui, face à la maladie, veulent se prendre en charge. Respectez cette attitude car c'est souvent, pour eux, une manière de maîtriser leur angoisse. Il leur faut tout comprendre seuls, aller seuls aux consultations, suivre seuls leur traitement. Votre présence n'en est pas moins importante pour autant, mais restez plus en retrait, prêt(e) à partager l'angoisse ou le désespoir, le moment voulu.

La notion de transfert : jusqu'où ?

Il se peut que votre parent(e) se retrouve, vis-à-vis de son médecin, dans une situation analogue à celle vécue dans son enfance avec son père ou sa mère en particulier, d'où parfois une certaine agressivité mais aussi beaucoup d'amour. Cependant, votre parent(e) attend tout de son médecin et de l'équipe. Ce sera peut-être difficile à supporter pour vous. Sachez que ces relations lui sont indispensables pour affronter sa maladie. Elles ne changeront en rien l'immense besoin affectif qui le lie à son entourage et qui est souvent exprimé par les patients.

L'exemple de Gérard le montre bien : *« Gérard est tombé malade à l'âge de 18 ans-20 ans. Il est aujourd'hui guéri et raconte par écrit l'importance de sa maladie et de ses rapports aux médecins dans sa vie. "Je dois dire que vis-à-vis des thérapeutes, j'ai contracté un rapport filial. J'ai le sentiment d'avoir investi en eux (chirurgien, chimiothérapeute, radiothérapeute) une relation père-fils. Ils m'ont fait renaître. Je pense à eux avec émotion (...). Je crois que le vide paternel dans ma vie a été si important que les postulants possibles ont été vite aspirés."* » Nous voyons ici que la relation médecin-malade s'inscrit d'emblée dans l'histoire du patient.

LA RELATION DE LA FAMILLE AVEC LES MEDECINS

Plusieurs éléments entrent en jeu :

Comment votre parent(e) va-t- (elle) prendre en charge son cancer ? ses traitements ? Veut-il (elle) ou non connaître la vérité ? Comment vous, conjoint, parent, famille, réagissez-vous à sa maladie ? à sa personnalité ? A quel stade de la maladie se pose la question de vos rapports avec le médecin ? Enfin, comment le médecin, lui, se situe-t-il par rapport à la question de la vérité ?

Attitude du médecin

Selon le patient (la patiente) qui est devant lui et l'idée qu'il se fait de ses réactions, son attitude sera différente : Voudra-t-il préserver avec son malade une relation privilégiée sans chercher à vous rencontrer ? A l'inverse, voudra-t-il vous informer avant d'informer le patient lui-même ? ce qui, dans l'absolu, est contraire à la déontologie.

D'une façon générale, le médecin n'a pas à vous informer avant le malade. S'il le fait, n'en déduisez pas pour autant que c'est à vous de vous en charger : vous placer devant un tel choix peut vous donner l'impression d'un trop grand pouvoir sur votre parent(e) et perturber ainsi vos relations avec lui.

Enfin, il est vrai que la relation que vous entretiendrez avec les médecins évoluera en fonction du stade de la maladie, vous devrez donc modifier vous-même votre attitude en fonction de cette évolution.

L'entrée dans la maladie

L'une des particularités de la maladie cancéreuse est de débuter de façon très insidieuse. Certains se plaignent de fatigue, de douleurs rebelles, de manifestations répétitives, avant tout diagnostic. Pour la plupart, l'entrée dans la maladie ira de pair avec le début d'examens plus approfondis et surtout, lors des traitements prescrits, qu'ils soient chirurgicaux, radiothérapiques, ou chimiothérapiques.

C'est à l'aide de ces trois thérapeutiques que l'on soigne aujourd'hui le cancer. Selon le cas, l'une ou l'autre prendra une part plus grande dans le traitement. L'important, c'est que votre parent(e) puisse faire confiance à un médecin ou à une équipe reconnue pour ses compétences en la matière.

A nouveau, rappelez-vous la nécessité de vous informer avec lui avant de prendre une décision irrémédiable.

Si, pour certains cancers, les thérapeutiques font l'unanimité, d'autres en revanche sont plus controversées.

Le cancer du sein en est un exemple : pour ce dernier, personne aujourd'hui ne peut vous garantir « la meilleure méthode ». Ainsi le choix que l'on peut faire sera en partie influencé par la qualité de la relation que votre parent(e) aura nouée avec tel ou tel spécialiste.

LES GRANDS TRAITEMENTS

La chirurgie

C'est la méthode la plus ancienne puisqu'elle consiste à « enlever » directement le mal. De ce point de vue, elle peut être bien acceptée. Mais, contrepartie possible et malheureusement fréquente en cancérologie, elle s'accompagne de mutilations visibles ou invisibles, bien réelles cependant.

L'*importance* de la mutilation, le fait qu'elle soit *visible* ou non, la *personnalité* de votre parent(e) : trois facteurs essentiels dans la manière dont il vivra cette mutilation.

S'ajoute aussi la perspective éventuelle d'une prothèse, ce qui est source d'angoisse. Bien sûr, votre parent(e) sait que son mal a été extirpé et que tout sera entrepris pour le guérir. Mais il va se trouver mutilé dans son corps, obligé de reconsidérer son image d'une autre façon, et de faire d'immenses efforts pour l'accepter ; ces efforts, vous serez amené(e) à les accomplir en même temps que lui, à l'aider à s'adapter à ses nouvelles conditions de vie, à vous adapter vous aussi.

Aidez-le à reconquérir une nouvelle image satisfaisante.

La radiothérapie

« Radiothérapie, cobalt 60, radiations ionisantes, autant de termes qui angoissent votre malade par le mystère qui les entoure et par l'idée qu'on s'en fait. La charge émotionnelle que les mots génèrent pourrait être amenuisée par la diffusion banalisée, destinée à tous les malades objets d'une radiothérapie. » Tels sont les propos tenus par une radiothérapeute lors d'un congrès.

La radiothérapie est devenue de plus en plus précise et ses séquelles mieux contrôlées de ce fait. Les patients doivent cependant faire entièrement confiance au radiothérapeute et à ses appareils ; confiance qui naît, une fois encore, de la bonne relation avec le médecin et les manipulateurs.

Informez-vous au maximum sur le déroulement du traitement à venir. Incitez votre parent(e) à demander lui-même (elle-même) des explications. Seule une information précise peut dédramatiser l'idée qu'il (qu'elle) se fait — et qui le (la) perturbe.

Se retrouver seul(e) sous l'appareil, ou dans une pièce hermétique (curiethérapie), livré(e) aux rayons, peut être une grande source d'inquiétude. Rappelez-lui que le « centrage » permet de viser très exactement le lieu de la tumeur et les endroits annexes où elle risque de récidiver. Quant aux dosages, ils sont beaucoup plus affinés qu'auparavant.

Si le personnel se protège, c'est qu'à chaque instant il est en contact avec les radiations et qu'il prendrait des risques pour sa santé en ne le faisant pas.

L'effet de saturation est infiniment moins fréquent que pour les traitements chimiothérapiques, car cela se déroule dans des limites de temps définies et relativement brèves.

La chimiothérapie

Elle est souvent mal perçue par le grand public. On la rend responsable du « mal-être » des malades cancéreux. Elle inquiète. Cette image est peut-être due au fait qu'elle est parfois utilisée en dernier recours chez des patients dits «condamnés » ; ou bien pour certains autres dont les cancers avancés ne permettent plus aucun autre traitement. Et pourtant, son apport est essentiel dans la guérison de nombreux cancers.

La chimiothérapie entraîne en effet un certain nombre d'inconvénients qui peuvent être plus ou moins bien tolérés.

Rappelez-vous, là encore, et vous aurez parfois à en convaincre votre malade, que cette thérapeutique chimique est la seule connue à ce jour capable de détruire les cellules cancéreuses. Elle permet souvent de longues rémissions et une bonne qualité de vie. A un certain stade de la maladie, la question est toutefois de se demander à quel prix on peut prolonger ainsi cette vie.

Les effets secondaires de la chimiothérapie

Selon les individus, ces effets sont variables en intensité, mais en général, la chimiothérapie reste souvent une épreuve.

Votre parent perdra ses cheveux (presque sûrement)

Renseignez-vous dès la première séance de chimio : il existe un « casque » réfrigérant qui pallie cette chute (son efficacité n'est pas encore totalement démontrée). Conseillez-lui aussi de prévoir une perruque qu'il ou elle pourra assortir à la couleur de ses cheveux, et de petits bonnets de coton, et cela, avant de commencer le premier traitement. Cette chute de cheveux est très diversement ressentie selon la personnalité du malade. Votre rôle à vous, conjoint ou parent, sera particulièrement important pour le choix de cette nouvelle tête. *Aidez-le (la) à se recomposer une image rassurante* afin qu'il ou elle puisse retrouver au maximum des activités et des relations à l'extérieur.

S'agit-il de votre femme ?

En premier lieu, dites- lui à quel point vous comprenez sa peine. Ensuite, affirmez-lui qu'une fois les séances de chimiothérapie terminées, ses cheveux repousseront, et même plus beaux, plus doux qu'avant. Encouragez-la à s'occuper d'elle. Incitez-la à se rendre chez le coiffeur qui adaptera sa perruque et la modifiera si besoin est ; à passer une heure de détente chez l'esthéticienne qui la maquillera et mettra son visage en beauté. Faites-lui comprendre qu'elle doit continuer à vous plaire.

S'agit-il de votre mari ?

Les hommes sont, de la même façon, très perturbés par la perte de leurs cheveux. Encouragez votre mari à rester coquet, à prendre soin de son aspect vestimentaire, et à ne pas se négliger. Et pourquoi ne pas porter un chapeau ? ou une casquette ?

Votre parent(e) sera sujet aux nausées ou aux vomissements

Il est toujours étonnant de constater, chez certains (certaines) patients (patientes), des effets aussi opposés d'un même traitement. Certains sont plus réceptifs que d'autres. Pour eux, le traitement « marche », pour les autres, moins bien. La chimiothérapie se révèlera ainsi plus ou moins efficace, plus ou moins toxique, selon les individus.

D'autre part, les défenses immunitaires étant diminuées, votre malade sera plus exposé aux infections, contre lesquelles on peut désormais lutter. Mais que cette fragilité ne vous empêche pas de mener tous deux une vie à peu près normale.

Votre paren(e) sera fatigué(e)

Selon son âge et son tempérament, il ou elle sera plus ou moins fatigué(e) par les cures de chimiothérapie. *Saisissez ses moments de « récupération » pour profiter avec lui ou elle d'un peu de détente.* Sachez aussi que l'efficacité des traitements jouera un rôle considérable dans la façon dont sera vécue la chimiothérapie.

Beaucoup de ces traitements peuvent désormais se pratiquer à domicile et sont souvent mieux supportés chez soi.

Evaluez avec votre parent(e) les solutions proposées et celles qu'il (ou elle) semble préférer : une attitude passive à l'hôpital plutôt qu'une attitude active à la maison, où il faut prendre en charge son traitement (pharmacien, médecin, etc...) ?

Séparer son traitement de sa vie familiale ?

Vous tous, famille, enfants, êtes-vous capables d'assumer un malade aussi mal en point ? Lui-même préfère-t-il rencontrer d'autres malades dans la même situation, ou au contraire, ne voir personne qui lui rappelle sa maladie ? Se sent-il plus en sécurité à l'hôpital où il est toujours entouré d'infirmières et de médecins ?
« Ainsi Anémone, en traitement depuis longtemps, voudrait tenter de faire ses perfusions à la maison pour éviter ces séjours trop fréquents à l'hôpital. C'est ce qu'elle entre-

prend, mais bien vite elle se rend compte qu'elle ne supporte pas l'idée "d'avoir introduit la maladie chez elle".

« A l'inverse, Roger trouve que sa vie est changée depuis qu'il porte sa "pompe" : elle lui permet de suivre son traitement en plusieurs jours, en évitant l'hospitalisation qu'il vit si mal. Il peut continuer à travailler chez lui comme il en a l'habitude et supporte beaucoup mieux son traitement (moins d'effets secondaires. »

Les patients disent souvent : « Pendant la chimio, j'étais entre parenthèses ; c'est une période de ma vie à laquelle je ne veux plus penser. »

Ceux ou celles qui l'ont le mieux supportée, par la suite la dépeignent souvent *non pas* comme *« destructrice »*, mais *comme « purificatrice »*.

Aidez votre parent(e) à l'envisager peut-être de cette manière, c'est-à-dire à éviter qu'il ne la vive trop passivement.

UN NOUVEAU STATUT, CELUI DE MALADE, CANCEREUX DE SURCROIT

Reportez-vous au chapitre sur le « mythe » : devenir « cancéreux », aux yeux des autres, peut parfois être difficile à vivre.

« Etre un malade cancéreux », c'est devenir « malade » subitement, alors que jusque-là, bien souvent, la personne chez qui l'on découvre un cancer ne se « sentait » pas malade. L'épreuve des examens, la rencontre avec le monde médical, le fait de subir des traitements lourds, obligent tout à coup à quitter le monde des bien-portants : le corps trahit.

Ainsi, le choix qui s'offre au patient (à la patiente) est limité : accepter des traitements sans garantie totale, ou bien la mort prendra le dessus. Ce choix, tout le monde ne le réalise pas au premier abord, car c'est un choix angoissant et douloureux, qui accroît le traumatisme toujours présent du diagnostic.

Aidez votre parent(e) à envisager le traitement comme un moyen de lutter contre un ennemi

Votre rôle ne sera pas aisé car votre parent(e) subissant des traitements agressifs, fatigants, aura toujours tendance à les rendre responsables de son mal-être. Certes, ils le seront en partie. Ce sera à vous et à l'équipe soignante de garder toujours en mémoire, et de le lui rappeler aux moments les plus difficiles, que ces traitements sont à la mesure de l'ennemi à combattre.

En quelque sorte, ne tombez pas, vous aussi, dans la dépression et le désespoir : *accrochez-vous à l'aspect positif de ces traitements, parfois vécus comme négatifs. Faites-lui comprendre que, sans ignorer sa souffrance, vous avez envie qu'il gagne ce combat.*

Ceci nous amène à parler des différentes attitudes et mécanismes de défense que votre parent(e) aura vis-à-vis de sa maladie.

ATTITUDES ET MECANISMES DE DEFENSE FACE A LA MALADIE

Dans le chapitre sur la vérité, nous avons évoqué le traumatisme que représente l'annonce d'un diagnostic et comment chacun va s'en défendre de son mieux. La régression qu'implique toute maladie est ici exacerbée par de lourds traitements.

Chacun réagit selon sa personnalité

On retrouve toujours de façon plus ou moins prononcée :
— une impression de faiblesse
— la dépendance
— la douleur.

Vous êtes la personne la plus proche et c'est vous qui subissez le plus intensément les conséquences de cet état. C'est en effet avec les êtres les plus aimés qu'on peut se laisser aller, sans risque de perdre leur amour (l'exemple des petits-enfants à l'égard de leurs parents est significatif).

Prenez du recul par rapport à ses réactions

Ne vous laissez pas envahir par un sentiment de découragement devant sa dépendance extrême, son agressivité, ses accès de dépression, ou même ses cris de douleur. Il est important pour lui de pouvoir exprimer ce qu'il éprouve ; la maladie entraîne toujours une régression : votre malade ne vous semble plus le même. Dites-vous que ces réactions ne sont pas dirigées contre vous. Prenez conscience que sa maladie exige une mobilisation énorme de ses défenses physiques et psychologiques, que sa guérison dépend de sa bonne entente avec l'équipe soignante. Avec vous seulement, il se défoulera et pourra exprimer la contrepartie de ce combat si difficile pour la guérison.

De votre côté, *ne cessez pas vos activités personnelles, continuez à voir des amis et à mener une vie normale* sans pour autant vous culpabiliser.

Les sentiments dépressifs

Votre proche ne reprend pas le dessus. Les examens, les traitements, sont pour lui une épreuve terrible. Il serait prêt à tout laisser tomber, quelles qu'en soient les conséquences. Si cette situation devait se prolonger, n'hésitez pas à en parler à votre médecin. Il lui prescrira un traitement approprié et l'incitera à consulter un interlocuteur spécialisé * qui cherchera à comprendre avec lui (ou elle) ce qui fait obstacle au désir de guérison.

Le déni de la gravité

Votre proche n'emploie jamais le mot « cancer ». Il poursuit consciencieusement ses traitements, parle de ses symptômes secondaires, des sensations physiques qu'il éprouve. Il semble considérer ses traitements comme tout à fait ordinaires, il les supporte avec passivité, il ne pose aucune question. Hormis les effets secondaires, il n'exprime jamais son angoisse ; il ne semble pas déprimé, attitude qui peut vous déconcerter. Vous avez l'impression que votre malade s'enferme dans un isolement total, se mure dans le silence. Vous cherchez quel comportement adopter ; vous éprouvez un malaise certain à ne pouvoir communiquer avec lui ; armez-vous de patience et usez d'une grande délicatesse pour parvenir à le dénouer.

Un patient disait un jour : « Ne pas en parler, fait que la maladie, l'angoisse, existent moins. »

Ne cherchez pas à trop intervenir puisque le seul moyen dont votre proche semble disposer contre l'angoisse est de nier la gravité de son mal. Cependant, restez à l'écoute. Soyez toujours disponible pour l'inciter à exprimer sa peur, brisant ainsi un mur de silence et de non-dits insupportable pour vous deux.

Trouvez le juste milieu

Votre position n'est pas facile car il vous faut à chaque instant faire preuve de compréhension, de doigté, sinon d'amour.

Un excès d'attention, comme un manque, peuvent être douloureusement ressentis par votre parent(e).

« *Ainsi Marc, 75 ans, qui a un cancer de la prostate, se plaint de l'incompréhension des siens. "Ma femme et mes enfants, dit-il, sont tout à fait incompréhensifs et ignorent com-*

plètement ma maladie. Je n'existe pas pour eux. D'ailleurs, ajoute-t-il, je suis en bonne forme mais c'est tout de même paradoxal de constater que l'endroit où je me sente vraiment bien, c'est le Centre anti-cancéreux où je suis suivi régulièrement, et où je retrouve des gens atteints du même mal que moi et qui s'intéressent à moi." »

Peut-être la famille de Marc n'est-elle pas aussi indifférente qu'il le ressent ? Est-ce maladresse ou pudeur de sa part ? Quoi qu'il en soit, dites-vous que la sensibilité de votre parent(e) est à fleur de peau, *qu'il a un grand besoin de votre tendresse, même s'il a tendance à s'isoler.* Faites tous vos efforts pour communiquer avec lui, vous rapprocher de lui et vaincre sa solitude.

« Claire, de son côté, se plaint, elle aussi : "Je viens d'être opérée d'un cancer, dit-elle, ma famille ne m'accepte pas comme malade. Pour eux, je dois toujours être gaie, sans soucis, comme avant !" Involontairement, sa famille l'isole. »

Si vous êtes vous-même très angoissé(e), respectez son mode de défense. Parlez-en plutôt à quelqu'un d'extérieur, car même sans manifester son anxiété, votre parent(e) n'est pas, pour autant, capable d'entendre la vôtre.

Les sentiments de persécution

Parfois, il accablera le service dans lequel il se trouve, de toutes les critiques. Observez de façon discrète si ces critiques sont fondées ; parfois elles vous paraîtront très amplifiées par rapport à la réalité. Pour accepter leur dépendance, les patients éprouvent le besoin de formuler des griefs (l'exemple d'Antoine).

Faites la part des choses

Voyez ce qui peut être discuté avec les médecins et le personnel soignant pour améliorer leurs relations, mais n'accentuez pas le fossé entre eux. En restant un peu en retrait, en montrant que vous cherchez à adoucir les angles et à favoriser l'échange avec le personnel, vous aiderez votre parent(e) à être mieux accepté(e), malgré son agressivité (souvent mal vécue dans les services).

La maîtrise de soi

Vous ne pouvez vous empêcher d'être étonnée(e) et admiratif (admirative) devant le comportement de votre malade, qui parle de son cancer comme s'il s'agissait de celui d'un autre. Il est parfaitement au courant de son diagnostic, du stade de sa maladie, sans manifester, en apparence du moins, ni émotion, ni angoisse. C'est en refoulant tout ce qui est affectif et émotionnel qu'il peut ainsi envisager « si sereinement » sa maladie.

Ce mécanisme est-il efficace ? Comment le savoir ?

Soyez donc sur vos gardes.

En effet, il y a des vérités qu'on peut se

dire, mais qu'on n'aime pas entendre. Respectez, là aussi, sa manière d'en parler sans pour autant faire de même. Pour vous, ce sera plus facile à assumer, car les choses seront « dites ».

Ces mêmes patients sont aussi ceux qui désirent « tout savoir » sur les traitements qu'ils subissent, qui posent mille questions et qui veulent, pour ainsi dire, maîtriser en partie leur avenir.

DES MUTILATIONS SPECIFIQUES

Les cancers O.R.L. (face et larynx)

C'est l'un des plus tragiques, tragique pour l'opéré, tragique pour vous, son parent. Selon l'ampleur de l'ablation, les séquelles sont plus ou moins étendues. Ce type de cancer touche essentiellement des hommes. Le cancer de la face ou du larynx entraîne des séquelles définitives : la déformation du visage, la perte de la voix. Comment imaginer tout à coup ne plus pouvoir communiquer avec votre parent(e) ? Ne plus rien échanger avec lui ? Si son visage est également déformé, c'est une mutilation qu'on ne peut cacher. En cela, elle est sans doute une des plus pénibles à vivre. Vous aurez un grand rôle à jouer dans l'acceptation de ces nouvelles conditions de vie.

Votre parent(e) sort de l'hôpital

Là-bas, il a été entouré d'un personnel habitué à dialoguer avec lui. Et c'est maintenant, alors qu'il a regagné son domicile et entamé sa convalescence, que vous allez mesurer ensemble toute la douleur que représente la perte de la voix et par là même, la difficulté pour lui de communiquer avec vous et les vôtres, et réciproquement. A ce moment critique, votre rôle sera difficile et lourd. Il vous faudra faire preuve d'une infinie patience et d'une compréhension sans égale.

Comment ne pas être ému par le témoignage de cette femme dont le mari, qui souffre d'un cancer de la gorge depuis quatorze ans, a été récemment laryngectomisé ? Elle nous fait partager sa souffrance et celle de son compagnon : « *... nous sommes un couple très uni, mais cette absence de communication est terrible. Le regard ne suffit pas, les petits gestes de tendresse réconfortent mais quand il faut demander une bouteille d'eau, une serviette de toilette, ou un tournevis, demander si les chaussures sont revenues de chez le cordonnier, le regard ou la tendresse ne veulent plus rien dire. Finie la poésie ; c'est un coup de coude dans les côtes, un poing frappé sur la table, l'ardoise qu'on cherche, ou le crayon qu'on a perdu "parce que tu ne fais attention à rien, parce que tu ne sais pas ranger" ; c'est usant.* » Et il est certain qu'il faut qu'un ménage soit solide pour résister à de pareilles agressions quotidiennes.

« *... Au bout de quelques semaines, on craque de désespoir. Parce qu'il n'y a pas d'issue. Personne ne peut venir vous remplacer, même vingt-quatre heures.* »

« Tant qu'on est à l'hôpital, tout va bien. Bien sûr, il y a l'angoisse de l'autre, le sentiment d'impuissance. Mais on n'a pas de responsabilité. Nous sommes sécurisés par la présence des médecins, des infirmiers, qui font de leur mieux. Ainsi, on peut prendre des somnifères et dormir, manger hors de sa présence, utiliser la salle de bains. Nous ne sommes là que pour lui dire notre affection. Mais quand on rentre à la maison, tout va différemment et cette nouvelle situation me fait penser, en bien pire, à celle où l'on se trouve quand on revient chez soi, en sortant de la maternité avec son premier bébé dans les bras. Finies les fleurs, les félicitations, les amis... Peut-être cette comparaison est-elle bizarre, mais c'est ce que j'ai éprouvé en rentrant chez moi avec mon mari laryngectomisé. J'étais seule avec mes angoisses pour tout faire, tout encaisser, aussi bien à l'intérieur de mon ménage qu'à l'extérieur. »

Etre le messager de votre conjoint

Votre conjoint vient donc d'être opéré ; son mal a été extirpé, mais il est mutilé, ô combien, et découragé. Il éprouve des modifications physiques et émotionnelles auxquelles il doit faire face.

C'est à vous qu'il reviendra de donner à vos enfants et à votre famille les explications les plus précises possibles sur les suites de cette intervention : difficultés respiratoires, difficultés d'alimentation, difficultés de la voix œsophagienne (à laquelle tout laryngectomisé ne parvient pas), manque d'odorat, entre autres.

Vous devez admettre et faire admettre aux vôtres que votre malade n'est plus le même qu'auparavant, réaliser qu'il ne peut plus émettre un seul son, qu'il ne peut plus chanter, rire, crier, appeler, humer, nager.

Surmontez votre tristesse, vos doutes, votre agacement, en en parlant à des personnes extérieures, pour mieux supporter celle et ceux de votre compagnon. En effet, cette situation nouvelle le rendra irascible et impatient. La difficulté de communiquer entre vous vous rendra tous deux nerveux, et cette incompréhension créera inévitablement de la tension dans votre couple. Il aura plus que jamais besoin de votre présence et de vos encouragements.

Amour, bien sûr ; tendresse, sans doute ; mais pas surprotection

Non, ne le surprotégez pas trop en lui évitant les situations nouvelles qu'il va affronter chaque jour : réactions d'étonnement, voire de rejet, venant parfois des autres. Aidez-le au contraire à aller de l'avant. Montrez aux autres que la « différence » peut être surmontée, si elle n'est pas tabou ; qu'elle devienne « habituelle » aux yeux de tous.

Comment communiquer après l'opération et avant la rééducation ?

L'absence de communication est très difficile à supporter, aussi convient-il de s'y préparer avant l'intervention.

Décidez, par exemple, *que votre conjoint utilisera l'écriture* (tant pis, éventuellement, pour les fautes d'orthographe !). Ce qui compte avant tout, c'est d'être compris, même si cela prend du temps.

Evitez qu'il s'exprime par gestes : utiliser des gestes réduit la possibilité de se faire comprendre et peut être cause de beaucoup d'énervement et de désespoir.

Ayez de l'imagination ; aidez-le à utiliser toutes sortes de moyens de s'exprimer, l'ardoise magique qui s'efface au fur et à mesure, le papier, le tableau, la voix chuchotée.

Réapprendre à parler avec la voix œsophagienne

Votre conjoint pourra peut-être réapprendre à parler en utilisant son œsophage. Il lui faudra fournir bien des efforts pour acquérir « la voix œsophagienne », mais les orthophonistes seront là pour l'aider. S'il ne peut, malgré sa rééducation, acquérir cette voix nouvelle, ne lui en tenez pas rigueur mais entraînez-vous plutôt à lire sur ses lèvres, s'il chuchote, et demandez à votre entourage de faire de même. A défaut de voix œsophagienne, il existe maintenant des prothèses d'un emploi très facile qui permettent d'obtenir une voix artificielle. Certaines se placent à la base du cou, et leur vibration module et amplifie le chuchotement. Avec cet appareil, votre conjoint, s'il se trouve seul chez lui, pourra aisément répondre au téléphone ; si, au début, son correspondant se montre un peu surpris par ce timbre inhabituel et monocorde, très vite une conversation pourra s'établir, et votre parent sera heureux de communiquer avec ses amis et de sortir de son isolement.

Quelques trucs

Une bonne chose serait aussi de vous munir d'un téléphone avec haut-parleur. Ainsi participera-t-il plus facilement à la conversation. De même, il serait sage de lui procurer un système d'alarme (genre sifflet puissant) qui alerterait les passants s'il se trouvait seul dans la rue et avait besoin d'aide.

Apprenez aux autres à laisser parler un laryngectomisé

Voici le témoignage de Lucie, femme de laryngectomisé : « *Il faut que les enfants soient bien prévenus par l'intermédiaire de la maman ; bien sûr leur expliquer ce qui s'est passé, et leur dire combien il faut entourer ce papa. Surtout, surtout,* le laisser parler quand il commence. *Je pense que c'est là un point capital. Il faut que les enfants sachent que lorsque papa parle, on doit se taire, puis apprendre à tous les gens que l'on fréquente, avec un petit mot gentil, qu'il faut laisser parler un laryngectomisé sans l'interrompre, au risque, sinon, de le décourager et de l'énerver. Quand l'énervement le prend, il parle de moins en moins bien, et il arrive à ne plus parler du tout. »*

Encouragez-le à s'exprimer lui-même.
Soyez ferme.

Si le téléphone sonne, il souhaite que vous répondiez. Essayez de lui faire comprendre, sans le blesser, car sa susceptibilité est à vif (il vous dit : « Tu ne veux pas m'aider ») qu'il peut « parler », qu'il peut « tout faire lui-même ».

Autre inconvénient : l'alimentation

Avec les problèmes de déglutition et de denture inhérents à l'intervention, l'alimentation doit obligatoirement être mixée. Achetez un mixer car, en devant modifier ses habitudes alimentaires, votre parent se sent encore un peu plus marginalisé. Vous connaissez parfaitement ses habitudes culinaires, ses goûts, ses allergies. Si c'est vous qui faites la cuisine, vous pouvez demander conseil à la diététicienne du service où a été opéré votre mari ; elle vous donnera des idées, vous aidera à imaginer des menus, car flatter son appétit, c'est aussi une manière de lui redonner goût à la vie. Si c'est lui le cuisinier, encouragez-le à continuer et à se renseigner lui aussi, de son côté.

Un petit problème : la mauvaise haleine

Les difficultés de déglutition peuvent parfois engendrer une mauvaise haleine. Un malade avait ainsi été rejeté de la table familiale. Evitez évidemment cet isolement forcé. On peut pallier cet inconvénient en utilisant fréquemment des eaux dentifrices.

Les cancers du colo-rectum

La mutilation va bien sûr dépendre de l'étendue des lésions. Mais la colostomie reste encore souvent le prix à payer pour la guérison. D'où la nécessité d'une confiance absolue dans le chirurgien dont l'habileté permettra ou non les meilleures conditions d'appareillage, par conséquent de confort pour le patient. De préférence, informez-vous tous deux avant l'opération sur ce qu'est une colostomie. Connaître l'anatomie et la physiologie de l'intestin paraît utile pour comprendre l'emploi de l'appareillage, des accessoires, des possibilités de régulation du transit. Ces renseignements pratiques sont indispensables pour atténuer le choc que représente une colostomie.

Dans un premier temps, les infirmières de l'équipe chirurgicale sont là pour aider votre parent pendant son hospitalisation, puis les stomathérapeutes ; également les membres d'associations comme ILCO (voir Adresses utiles) qui, sur sa demande, se rendront à son chevet, avant ou après l'intervention, pour lui donner toutes les informations nécessaires.

Aidez-le (la) à se prendre en charge

Dès l'opération, les infirmières incitent les patients à effectuer eux-mêmes leurs soins d'hygiène. D'un point de vue psychologique, on peut supposer que votre parent(e) ne se prendra réellement en charge que le jour où il (elle) aura accepté sa mutilation et pourra la regarder en face. Votre comportement et votre tendresse ont un rôle capital à jouer. Pour accepter l'un et l'autre cette nouvelle image de son corps, il vous faudra tous deux faire de grands efforts. Au début, vous devrez sans doute l'aider à effectuer ses soins, peut-être même les faire à sa place ; en agissant ainsi, vous lui montrerez que vous acceptez son changement, que vous le regardez et l'aimez toujours autant.

Ne vous figez pas cependant dans un rôle trop maternel. Votre parent(e) peut en effet se défendre du choc créé par la colostomie en la niant.

« *Ainsi, Berthe, mariée depuis quarante-six ans, a toujours materné son mari, qui se repose entièrement sur elle. Il a subi l'ablation de la vessie, puis la pose d'un appareillage destiné à la dérivation urinaire, Cette stomie, il la nie, prétend ne l'avoir jamais regardée, et il refuse de se prendre en charge. Grâce à l'équipe hospitalière et à une stomathérapeute, Berthe a appris les soins quotidiens d'hygiène à dispenser à son mari, les gestes à effectuer. Elle voudrait peu à peu l'amener à une certaine autonomie. Peine perdue.* »

Peut-être le changement d'habitude remet-il

trop en cause les bases mêmes de ce couple.

Ne considérez pas trop longtemps votre parent(e) comme un(e) malade en substituant à votre rôle de femme (ou de mari) celui de mère. Retrouver une vie de couple vous sera d'autant plus difficile (lorsqu'il s'agit de votre conjoint), l'objectif final étant que le patient puisse assumer ses soins tout seul et retrouver son autonomie. Vous pourrez ainsi le (la) regarder à nouveau comme un homme ou une femme à part entière.

Sa mutilation vous fait peur

Il est normal qu'après une intervention de ce type, la famille soit désemparée. Que vous soyez père, mère, frère, sœur ou conjoint, vous éprouvez un sentiment de peur et d'incapacité à apporter une aide effective au stomisé. Vous n'étiez pas informé(e) et un soutien extérieur vous sera certainement utile. Vous comprendrez aussi très vite à quel point le support familial est le meilleur stimulant pour votre malade ; qu'il doit peu à peu retrouver sa place normale au sein de la famille et mener la même vie qu'elle. Ne gardez pas le silence sur ce sujet ; au contraire parlez-en entre vous.

Une autre façon de rendre la vie normale

Voici ce que raconte Alain : « *Cela prend un peu de temps, dit Alain, qui a subi l'ablation du côlon, mais moins qu'on ne pourrait le croire. Et puis, cela apprend à relativiser bien des choses, à faire le tri entre l'essentiel et l'accessoire, y compris parmi les gens. Notre couple en est sorti formidablement renforcé ! » Ayant repris son travail où il partage la vie d'une équipe et devant l'attitude de ses camarades, pour couper court à leurs questions embarrassées, il a décidé, « sans fausse pudeur et sans fausse honte », dit-il, de leur faire un «topo » : « Voilà ce qui m'est arrivé ; on m'a ouvert* ici, *enlevé* ceci *dont vous vous servez chaque jour et dont finalement, je me passe très bien grâce à une poche en plastique. »*

Les cancers touchant les organes sexuels

Au-delà de la peur de mourir, s'ajoute aussi dans ces cancers l'angoisse de la mutilation, mutilation d'autant plus douloureuse qu'elle touche à l'image sexuelle.

Les mutilations qui ne se voient pas

Ainsi une femme à laquelle on a ôté les ovaires et l'utérus, en particulier lorsqu'elle n'a pas eu d'enfants, se sent dépossédée d'une partie de ses fonctions, de son être.

Elle ne pourra plus enfanter

Même si elle n'en a plus l'âge, cette opération marque symboliquement la fin d'une certaine forme de vie sexuelle. Votre rôle, conjoint ou compagnon, sera capital dans son acceptation, en particulier si cette amputation ne vous empêche pas de la désirer toujours, et de l'aimer.

La peur des rapports sexuels : vous avez peur tous les deux

Vous pouvez vous-même avoir peur de la contagion possible du cancer et ne pas oser reprendre des relations sexuelles. Ne soyez pas obsédé par cette idée *fausse.* Cette attitude, votre compagne peut la ressentir comme une blessure et l'empêcher de retrouver elle-même tout désir sexuel.

Une ménopause précoce, une dépression plus ou moins manifeste, la peur de la pénétration dans une zone meurtrie, la peur aussi de déclencher une rechute, peuvent également constituer des obstacles à la reprise de rapports sexuels normaux. Vous devrez manifester beaucoup de douceur, une patience infinie, et surtout, en parler : avec votre femme, puis avec le médecin, pour tenter d'éliminer toutes causes secondaires éventuelles.

L'importance des difficultés éprouvées sera aussi fonction des relations que vous aviez entre vous auparavant. Parfois, la maladie sera l'occasion d'une mise au point à ce sujet. Vos liens seront renforcés ; ou au contraire, vos difficultés iront s'aggravant et entraîneront peu à peu une rupture.

Peut-être n'est-ce pas le moment de fuir ?

Ne craignez pas de poser des questions concernant la sexualité

Ainsi le médecin, après avoir fait un examen gynécologique sérieux pour analyser les troubles dont vous lui parlerez, pourra vous guider. C'est à lui qu'il appartiendra de faire la part de l'organique et du psychologique dans vos difficultés sexuelles. Avec un gynécologue « à l'écoute », quelques entretiens peuvent suffire à dédramatiser ces difficultés et à les faire disparaître (l'anxiété pouvant amplifier la douleur). Mais si ces difficultés persistent, il conviendra peut-être de consulter ensemble un psychothérapeute pour les surmonter.

Les cancers qui se voient

Le cancer du sein : le plus fréquent chez la femme.

Dans ce domaine, deux tendances s'affrontent : celle des partisans de la mastectomie (ablation du sein) et celle des partisans du traitement dit conservateur. Plusieurs solutions s'offrent à vous. Votre femme, déjà accablée par le diagnostic, aura d'autant plus besoin de votre présence pour s'informer des diverses méthodes thérapeutiques. Ne faites pas un choix trop rapide. Pesez les avantages et les inconvénients de chaque méthode. Comme nous l'avons déjà dit, c'est sans doute le spécialiste qui aura su vous inspirer à tous deux confiance qui orientera votre décision. Tenez compte aussi des enjeux psychiques que constitue, pour votre femme, une mastectomie.

« *Marthe, anéantie par le diagnostic de son gynécologue, a erré longtemps dans les rues. Puis elle est allée s'effondrer au bureau de son mari. "Jamais je ne te quitterai", lui a-t-il dit. "Cette petite phrase, nous confie-t-elle, a suffi à me remonter le moral ; je savais que je ne serais plus jamais seule pour me battre."* » Toutes les femmes ne peuvent pas en dire autant.

Quel meilleur soutien que l'amour et la compréhension ?

Votre femme se trouve confrontée non seulement à l'angoisse de la mort que suscite toute révélation de cancer, mais elle doit parfois aussi envisager, c'est encore très répandu, la mutilation d'une partie féminine « sacrée ». Pour vous-même, cette perspective ne sera pas facile à assumer. Vos liens affectifs et sexuels seront mis à l'épreuve. Si l'annonce de l'amputation apparaît souvent presque irréelle, c'est au lendemain de l'intervention qu'elle prend tout son sens. C'est à ce moment-là que les femmes portent les mains sur leur poitrine pour vérifier si leurs craintes sont fondées.

Soyez là

Votre présence réconfortante et aimante qui se passe de « mots » pourra en atténuer le choc inévitable. C'est au retour à la maison, sortie du milieu hospitalier protégé, qu'apparaît le plus souvent une phase de dépression : « Je ne serai plus jamais comme avant. »

Aidez-la à retrouver une image satisfaisante d'elle-même.

D'un point de vue médical, peut-être envisagera-t-elle la reconstruction de son sein. Gâtez-la. Suggérez-lui d'aller chez le coiffeur, chez l'esthéticienne, de réapprendre à se mettre en valeur, *pour vous*. En se rendant à nouveau séduisante à ses yeux, mais aussi aux vôtres, cela facilitera la reprise de vos relations sexuelles.

Encouragez-la également à reprendre son travail, si elle se sent physiquement en état de le faire.

Vos efforts sont vains

Votre femme n'arrive pas à faire le deuil de son sein. Elle ne s'intéresse à rien, n'a plus envie de rien. Mais elle n'ose pas en parler. « On m'a sauvé la vie, je n'ai pas le droit de me plaindre. » Alors, encouragez-la à consulter son médecin traitant ou une personne qualifiée *. Essayez de contacter des associations comme « Vivre comme avant » ou « Ecoute-Cancer ».

Quelques risques secondaires

La mobilité du bras (lequel doit être rééduqué le plus tôt possible) et le « gros bras » (qu'on soigne avec des manchons ou des massages). Il convient donc d'être bien informé pour pousser votre femme à s'en préoccuper au cas où son état psychologique l'empêcherait de prendre toute décision.

Le risque de stérilité

Il peut vous atteindre, car la chimiothérapie et la radiothérapie sont souvent responsables d'une stérilité.

Pour les hommes atteints de cancer, il convient de bien s'informer médicalement avant d'entamer tout traitement, pour éventuellement prévoir une conservation du sperme (Banque du CECOS).

Aidez votre mari à envisager l'avenir, ce qu'il a parfois du mal à faire au moment du diagnostic (en particulier dans le cas d'un cancer du testicule ou d'une maladie de Hodgkin, qui sont maintenant guérissables). Si la conservation du sperme est impossible, votre manière de réagir face à ce problème influencera beaucoup la réaction de votre mari lui-même.

Quand de son côté, il n'arrive pas à assumer cette épreuve, aidez-le en lui disant que vous l'aimez pour lui-même et non comme un géniteur potentiel ! Si vous-même ne supportez pas l'idée de ne plus pouvoir avoir d'enfants, parlez-en à une personne qualifiée * plutôt que d'imposer à votre mari une blessure supplémentaire en laissant percer votre angoisse. Ensemble, lorsque cela s'avérera nécessaire, cherchez une autre manière d'avoir des enfants.

Pour les femmes atteintes de cancer, l'information sur de tels risques est toujours indispensable. Seul l'avenir permet de mesurer les conséquences des traitements sur la fertilité (ménopause précoce due à la chimiothérapie, stérilisation ovarienne par la radiothérapie). Il conviendra d'évaluer avec le médecin les risques encourus par une grossesse éventuelle.

Les associations d'entraide

On ne dira jamais assez le rôle essentiel joué par les associations d'anciens malades, leur efficacité, et leur dévouement auprès des personnes atteintes, elles aussi, de cancer. En revanche, si leur valeur est incontestée, leur nombre est malheureusement limité et la demande d'une telle aide devient chaque jour plus grande. Car les malades, dans leur solitude et leur désarroi, ont besoin d'être secourus, soutenus, par tous les moyens.

Ainsi votre femme est désespérée à l'idée qu'on va l'amputer d'un sein. Vous faites, sans y parvenir, l'impossible pour la choyer et minimiser ce drame — c'en est un pour elle. Suggérez-lui de faire appel à l'une de ces bénévoles qui font partie d'une association d'anciennes malades. Car ce que souhaitent la plupart de ceux qui, d'une façon ou d'une autre, vont être mutilés et modifiés dans leur corps, c'est rencontrer quelqu'un « qui a la même chose que moi ».

Votre femme, obsédée par l'ablation de son sein, sera heureuse de recevoir, avant son opération, la visite d'une autre femme qui, elle aussi, aura été mastectomisée, et à laquelle elle pourra confier ses peurs et ses angoisses. La visiteuse, qui sera passée par les mêmes épreuves qu'elle et les aura surmontées, lui démontrera qu'elle mène une vie tout à fait normale, qu'elle a repris ses occupations et qu'elle « vit comme avant ». Elle sera à même également de lui donner tous les renseignements utiles quant au port d'une prothèse, voire à une éventuelle reconstruction chirurgicale.

Parlez-en, bien sûr, avec votre malade. Dites-vous que la visite d'une de ces bénévoles est le plus souvent bénéfique ; cette visiteuse viendra bavarder avec elle, à son chevet, mais ne s'imposera jamais, et ne retournera la voir que si la malade le désire.

De même, que ce soit les laryngectomisés et les mutilés de la voix ou du colon, l'aide qu'apportent leurs deux associations est inappréciable ; en visitant les patients à leur domicile ou à l'hôpital, avant ou après l'opération, pendant leur convalescence, et en leur prodiguant non seulement une aide psychologique à une période douloureuse de leur vie, mais aussi bien des conseils matériels sur le choix et l'utilisation de certains appareillages nécessités par l'intervention qu'ils viennent de subir.

En dehors de ces associations, existent d'autres organismes qui peuvent aussi vous venir en aide : la Ligue Nationale contre le Cancer et ses comités départementaux, dont plusieurs Accueil-Cancer ; le Comité de Paris de la Ligue Nationale et son service « Ecoute-Cancer », écoute téléphonique dont le siège est à Paris et qui, dans l'anonymat le plus absolu, permet à des malades ou à leurs proches de confier à des écoutants bénévoles venus d'horizons les plus divers (anciens malades, juristes, travailleurs sociaux) leurs inquiétudes personnelles, leur angoisse, leur solitude. Les écoutants d'« Ecoute-Cancer » répondent aussi à des demandes de renseignements variés, adresses d'hôpitaux, renseignements juridiques, etc. (aucune consultation médicale).

Et si vous avez besoin un jour d'un secours immédiat, que votre parent(e) soit particulièrement déprimé(e) et votre médecin hors d'atteinte, appelez S.O.S. Amitié, ou S.O.S. Dépression.

Le temps de la guérison

LA FIN DU TRAITEMENT

Le médecin cancérologue décide d'arrêter le traitement lorsqu'il pense avoir mis en œuvre tous les moyens thérapeutiques dont il dispose en faveur de la guérison.

La guérison pour le médecin ?

C'est le retour à de grandes constantes cliniques, physiologiques et biologiques ; il n'y a plus trace de cancer. Le spécialiste ne peut concevoir l'avenir de son patient (sa patiente) qu'en termes statistiques : « Il y a tant de chances de guérir ou de rechuter. »

La guérison pour le patient ?

Le médecin ne pouvant rien affirmer quant à l'avenir de son patient (sa patiente), c'est-à-dire n'offrir aucune garantie, le patient (la patiente) ne pourra que se sentir vulnérable, au moins pendant un certain temps. Ainsi, au moment de l'arrêt du traitement, quelques-uns manifestent une dépression plus intense que pendant leur maladie et les traitements. Ceux-ci, bien qu'agressifs, sécurisent le patient qui lutte contre la maladie ; il n'a plus à penser. Et soudain, il se retrouve seul, face à lui-même. Certes, l'arrêt procure un soulagement, mais en même temps constitue une source d'angoisse et votre parent(e) se pose la question : « Si je cesse mon traitement, mon cancer va-t-il réapparaître ? »

Comment vivre avec cette épée de Damoclès suspendue sur sa tête ?

Qu'est-ce que la guérison ?

C'est retrouver « la santé ». Chacun de nous en a une certaine idée : ceux qui consultent un médecin au moindre bobo et sont inquiets devant tout signe suspect ; à l'inverse, ceux qui affirment n'avoir jamais vu un médecin de leur vie : « Moins j'en vois, mieux je me porte. »

Votre parent(e) appartient-il à l'une ou l'autre de ces catégories ? Quoiqu'il en soit, se sentir guéri d'un cancer demande du temps ; votre regard et celui des autres pourra grandement y contribuer. Mais lui-même devra aussi accepter sa nouvelle image ; certains malades auront bien des difficultés à oublier l'idée de la mort.

« Ainsi, Marie, opérée d'un cancer du sein, a ensuite subi toute une série de rayons et une

chimiothérapie ; il y a de cela cinq ans. Elle continue cependant à venir une fois par mois voir son cancérologue (en général, au bout de cinq années, on consulte une fois par an). "Mais, dit-elle, c'est la seule façon d'éviter la dépression." Elle reconnaît qu'elle a toujours eu, bien avant sa maladie, des angoisses de mort que celle-ci est venue accroître. »

Nous voyons ici une patiente qui se sent toujours en sursis au bout de cinq ans de rémission, et qui a, sans cesse, besoin d'être rassurée par son médecin.

Si tel est le cas de votre proche, ne l'empêchez pas, bien sûr, d'aller consulter son médecin aussi souvent qu'il le souhaite ; mais de votre côté, *essayez de lui faire prendre conscience que cette angoisse si persistante est sans nul doute due à son cancer, mais peut-être aussi à lui-même (ou elle-même).* Si cette angoisse devenait trop obsédante, pourquoi ne pas consulter une personne qualifiée * ?

Ainsi, au moment où cessent les traitements, votre soutien, votre réconfort, ne peuvent qu'être bénéfiques pour lui redonner confiance en lui (elle) et en l'avenir. Encouragez-le (la) dès que possible, à reprendre son travail, à en changer éventuellement, à revoir ses amis, ses vrais amis, qui savent le soutenir sans le surprotéger ou le rejeter. Beaucoup de patients (tes) nous ont raconté comment, de retour à leur travail, leurs collègues les regardaient comme des « ressuscité(e)s » et cachaient mal leur étonnement de les voir encore vivants. Même après guérison, le mythe continue à agir.

LE SENTIMENT DE GUERISON

Ainsi, la guérison du cancer n'est en aucune façon le retour à un état antérieur. Votre parent(e) a été confronté(e) à une mort possible ; il a peut-être été mutilé, il a subi des traitements lourds ; n'est-il pas difficile pour lui d'effacer tout cela ?

Le sentiment « effectif » de guérison, la possibilité de revivre de façon satisfaisante, sont liés à sa personnalité, à sa vie, à son entourage aussi. A handicap égal, on constatera des attitudes très différentes devant cette nouvelle vie qui débute.

Trois comportements particuliers semblent prédominer :

Votre parent ne parvient pas à dépasser le traumatisme que constitue l'épreuve de la maladie

Peut-être avait-il déjà vécu auparavant des événements douloureux ? Ce cancer qui survient est une épreuve supplémentaire. Il se sent dépassé et sa maladie va devenir une référence constante à ses angoisses, à ses accès de désespoir. « Je ne pourrai plus jamais vivre comme avant. »

« *Simone, soixante ans, au cours d'un entretien, s'assied, accablée. "Je n'ai pas le moral, ça ne va pas du tout. Depuis qu'on m'a arrêté le traitement (trois ans auparavant), je me sens complètement seule. Mon fils habite loin, et mon mari a horreur que je sois malade. Je n'ai plus envie de rien, je n'arrive pas à m'habiller. Dès que je suis en compagnie d'amis, j'ai la migraine." Elle reconnaît pourtant qu'elle était dépressive depuis douze ans déjà. Mais elle en veut aux siens de ne pas s'occuper d'elle.* »

Vulnérabilité causée par la maladie ? Personnalité à tendance dépressive ? Entourage indifférent ? Tous éléments qui interfèrent dans le sentiment qu'éprouve cette femme de sa guérison. Son entourage, sans doute lassé par ses complaintes, bien antérieures à son cancer, n'a pas dû prendre suffisamment au sérieux la gravité de celui-ci. Quelques attentions lui redonneraient peut-être goût à la vie.

« *Réaction différente chez Jacques, pour qui le cancer a constitué une énorme rupture dont seule une psychothérapie de longue durée pourrait venir à bout. Soigné pendant six ans par une chimiothérapie très longue (à l'époque, il y a dix ans de cela, elles duraient beaucoup plus longtemps), Jacques ne se remet pas de cette épreuve dont il est sorti très affaibli, dit-il, et le caractère transformé. A la suite d'une castration des testicules, il ne parvient pas à remonter la pente et se sent déprimé : incapable même de confier sa souffrance à qui que ce soit. Autrefois très actif, il a maintenant l'impression de ne plus rien pouvoir faire.* »

Vous-même, vous vous sentez perdu(e) de constater une situation identique chez votre parent(e). Toutes vos tentatives pour qu'il (elle) retrouve son bien-être sont vaines.

Usez de diplomatie
Encouragez-le à se faire aider

Il est possible qu'il ne soit pas capable de réaliser lui-même qu'une aide, un soutien psychologique, lui soit nécessaire. S'il vous dit « Ça ne changera rien à la réalité de ma maladie », usez de douceur et de patience, partagez son angoisse. Même submergé par l'idée que « rien n'est plus possible », prouvez-lui que toute épreuve, même la plus douloureuse, peut avoir un côté positif et lui être bénéfique. Pour peu qu'il veuille admettre le sens qu'elle a pris dans sa vie, elle peut devenir stimulante pour son avenir (cf. mutilations, difficultés sexuelles, etc.).

Votre parent fait partie de ceux pour qui la maladie a été une parenthèse dans leur vie

Il (elle) ne semble jamais y penser. Il (ou elle) a repris ses activités « comme avant ». Pour vous, ce sera sans doute plus facile à vivre. Vous aurez le sentiment de ne pas devoir le (la) soutenir car il (elle) semble se prendre en charge.

« *Catherine, qui a été malade cinq ans auparavant, raconte que pour elle, tout s'est très bien passé. Elle était* fort bien entourée *et n'a aucun problème particulier. Ses sœurs se sont occupées de ses enfants alors âgés de quinze, quatorze et onze ans. Elle a retrouvé son métier de jardinière d'enfants qui la passionne et rien n'a changé dans ses relations avec son mari. De son enfance, elle parle de la même façon, c'est-à-dire d'une vie très agréable en province. Seul point noir, la mort d'un frère d'une méningite à douze ans.* »

« *Armand, lui, se décrit comme un fonceur. "Je n'aime pas être embêté. D'emblée, je me suis dit que je serais dans les 30 % qui guérissent" (il est guéri depuis sept ans). Pour lui, maladie et traitement se sont bien passés car il était aussi* bien entouré. *Ses enfants, bien que très jeunes, ont compris qu'il fallait le ménager. "Je ne me suis jamais laissé envahir par la maladie. J'ai continué à travailler pendant mes traitements. Mon couple a été renforcé. Aujourd'hui, je n'y pense plus."* » Les problèmes de stérilité ne se sont pas posés, il avait déjà deux enfants.

A l'inverse, vous pouvez avoir le sentiment que la maladie est un sujet tabou qu'il vaut mieux ne pas évoquer. Respectez ce besoin, mais restez disponible.

En effet, pour ces patients (tes), la possibilité de reprendre une vie normale ne se fait qu'en occultant totalement toutes les souffrances qu'ont pu représenter la maladie et les traitements. Ils n'en sont pas pour autant moins sensibles à tout ce qu'ils ont vécu, mais ils s'en défendent en « l'oubliant ». Il se peut toutefois que vous assistiez à des crises d'angoisse ; mais celles-ci seront vite jugulées grâce au côté actif du personnage.

Votre parent(e) fait partie de ceux (celles) qui vont utiliser leur maladie comme une nouvelle possibilité de vivre et de se comporter

Il (ou elle) en parle volontiers, pour dire que cette épreuve a été décisive dans sa vie ; qu'il (ou elle) se permet actuellement certains comportements qui ne lui seraient jamais venus à l'idée auparavant. « La vie est fragile, il faut savoir en profiter pour soi. »

C'est ainsi que l'a compris Martine. « *Opérée du sein cinq ans auparavant, Martine est une femme dynamique, pour qui l'apparence physique compte beaucoup. Elle a vécu la chimiothérapie comme un "nettoyage" de son corps. Après le traitement, étant coiffeuse, elle a ouvert un institut de beauté. Sans oublier ce traitement, elle a voulu le vivre comme un passage difficile dont elle se sortirait. Avant sa maladie, des ennuis de maternité : un seul enfant au foyer et l'impossibilité d'en avoir d'autres après une fausse couche mal vécue, problème qu'elle n'a jamais pu aborder avec son mari, mais qui était sous-jacent. Ne parvenant pas à le formuler, elle ressentait un malaise. Son cancer, dit-elle, a permis de "retrouver un dialogue avec son mari et d'apprécier la vie beaucoup mieux qu'auparavant", bien que ne pouvant plus avoir d'enfants. Elle sait ce dont elle a besoin et cherche à profiter de la vie au maximum.* »

« *Gérard, dont nous avons déjà parlé, soigné quatorze ans plus tôt, et malgré une rechute, est aujourd'hui guéri. "Toute cette aventure, dit-il, peut se résumer à "attendre", attendre de guérir, avec espoir, découragement, peur de mourir aussi. Mais quand on s'en tire, c'est enrichissant parce que c'est un voyage (..). Voilà, la vie a pris le dessus, c'est bien.". »*

Cette prise de conscience de la maladie, ce nouveau regard sur soi peut quelquefois être pénible : c'est tout votre passé à tous deux qui est remis en cause, réévalué. Pour peu que vos relations avec votre parent(e) ait été jusque là perturbées, vous aussi en subirez les conséquences. Le cancer sera alors le prétexte de la rupture ou d'une mise au point de vos sentiments, que vous soyez conjoint, père, mère, frère ou sœur.

« A la suite de problèmes importants touchant ses enfants, Jean-Baptiste a fait, il y a quelques années, une sérieuse dépression. Très soutenu, à l'époque, par sa femme et suivant une psychanalyse, il s'en est fort bien tiré. Aujourd'hui, sa femme a un cancer du sein. Elle est devenue agressive, lui fait maints reproches, veut le quitter. Et Jean-Baptiste est désorienté, cherche à comprendre. Trop tard. Sans doute y a-t-il eu entre eux, à certains moments difficiles, trop de non-dits, de souffrance non partagée ? Et aujourd'hui, la gravité de la maladie est le prétexte invoqué par sa femme pour s'en aller et vivre comme elle l'entend en effaçant le passé. »

Si par hasard, vous vous trouviez dans une situation analogue à celle de Jean-Baptiste et que vous ne puissiez rétablir un dialogue avec votre conjoint et comprendre, seul, ses motivations, faites appel à quelqu'un * qui vous aidera à voir plus clair et à accepter plus sereinement ce départ, lorsqu'il paraît inévitable, et à trouver la solution la moins perturbante pour les enfants.

LA RELATION DU MALADE AVEC SES MEDECINS

N'hésitez pas à rapprocher les consultations si votre parent (parente) se sent abandonné(e)

Quand il y a guérison, beaucoup de souffrances vécues et de douleurs s'effacent. Le chemin difficilement parcouru aboutit à quelque chose (la guérison). Le médecin devient alors le « sauveur ». Mais les traitements terminés, certains malades peuvent se sentir abandonnés. Incitez-le (la) donc, s'il (ou elle) ne le fait par lui(elle)-même, à demander des consultations de surveillance plus rapprochées, afin que ne soit pas rompue trop brutalement cette relation, si intense pendant la durée des traitements.

Gisèle, comme bien d'autres, nous le confirme. « Il paraît que je suis guérie, dit-elle. Mes séances de chimio sont terminées. Mon médecin ne veut plus me voir avant un an. Je me sens complètement perdue, abandonnée ! » Mais tous les patients ne réagissent pas comme Gisèle.

Dans le cas contraire, incitez- le à se faire suivre régulièrement

Votre parent(e) a pu, lui, avoir une attitude tout à fait négative vis-à-vis du médecin et de son équipe : sa seule façon de supporter les traitements consistait à en faire le reproche permanent à ce médecin qui lui créait tant de misères (Antoine en est un des exemples). Il verra alors la fin des traitements comme une délivrance et aura tendance à ne plus vouloir rencontrer le médecin et tout ce qui lui rappelle ces mauvais souvenirs. Mais dans ce type de maladie, il importe de rester un certain temps sous surveillance. Ainsi, vous devrez insister auprès de lui (d'elle) afin qu'il (elle) respecte les délais de contrôle que le médecin croit nécessaire de lui imposer.

LA REINSERTION PROFESSIONNELLE

La réinsertion professionnelle d'un cancéreux stabilisé ou guéri dépend d'un grand nombre de facteurs liés à l'affection cancéreuse et à son traitement, au secteur professionnel et à la nature du métier qu'il souhaite effectuer ou reprendre.

Nous ne sommes pas habilités à traiter de cette question complexe, mais souhaitons seulement donner ici quelques indications utiles.

Les principaux éléments qui rentrent en jeu dans cette réinsertion

— La localisation du cancer.
— L'âge du malade (sa situation par rapport à la vie familiale et professionnelle).
— Son statut : salarié, fonctionnaire, travailleur indépendant.
— Sa motivation.

D'autre part, les médecins, médecin du travail et autres, jouent un rôle primordial d'orientation et de coordination dans la réinsertion des malades cancéreux guéris, aidés par les équipes des centres spécialisés et des para-médicaux (assistantes sociales, infirmières, kinésithérapeutes).

— Quant à l'influence des proches, elle est également capitale. Par leur soutien et leur affection, ils aideront l'ancien malade à reprendre la vie active ; d'où la nécessité d'une bonne information de l'entourage aussi.

Quelques points importants

Sachez que, la loi ayant changé, les personnes ayant été malades peuvent actuellement entrer dans la *fonction publique* si elles sont *physiquement aptes* à remplir le poste pour lequel elles postulent.

Aux jeunes, on peut conseiller de faire le point avec l'équipe soignante avant de choisir une profession. Il est indispensable qu'ils connaissent les séquelles de leur maladie, ce qui leur est possible d'accomplir ou non.

En cours d'emploi

Il est important :
— de ne pas démissionner de façon précipitée,
— de ne pas vendre hâtivement un fonds de commerce,
— d'attendre un peu avant d'annoncer sa maladie,
— de faire le point avec l'équipe soignante, l'assistante sociale, le médecin du travail, pour envisager avec eux les problèmes qui vont se poser et un recyclage éventuel.

S'il s'agit d'un *nouveau travail,* que le malade se présente avec sa compétence et son aptitude à remplir le poste. Le candidat à l'emploi n'a pas à parler de sa maladie si cette question ne lui est pas posée.

ASSURANCES

Les assureurs n'accordent pas facilement l'assurance-vie nécessaire pour garantir un prêt bancaire en cas d'achat d'une maison, d'un fonds de commerce, d'un outil de travail, etc. si l'on a eu des problèmes de santé, un cancer entre autres. Mais beaucoup de progrès ont été réalisés dans ce domaine, en particulier grâce aux efforts effectués par la Ligue Nationale contre le Cancer. Toutefois, de nombreuses difficultés subsistent, notamment celle de l'information du public. Si vous avez besoin de renseignements à ce sujet, n'hésitez pas à prendre contact avec la Ligue Française contre le Cancer.

Et si une rechute survient ?

REPETITION DU TRAUMATISME

Votre parent(e) a eu une plus ou moins longue rémission ; il a beaucoup lutté, avec succès, et vous avec lui. Il a repris ses activités. Vous aviez enfoui dans votre cerveau l'idée d'une rechute toujours possible et redoutée. Et voilà que soudain, cette rechute survient. Le choc est encore plus violent que celui du premier diagnostic. C'est un effondrement, une grande période de désespoir pour vous deux.

Plus que jamais, vous devrez vous-même surmonter votre angoisse, être disponible, le (ou la) soutenir. En effet, votre parent(e) peut être amené à penser que tous les efforts qu'il a fournis pour se battre physiquement et psychologiquement ont été vains, et qu'il a échoué. Alors, il aura peut-être tendance à baisser les bras, et complètement désemparé, à vouloir tout abandonner.

Pour vous parent(e), l'épreuve sera double :

Si vous avez pu, pendant un moment, des mois ? des années ? chasser de votre esprit l'idée que vous alliez perdre cet être cher, avec cette rechute, elle revient en force, incontrôlable et cependant *il va falloir la contrôler*. Vous parlerez beaucoup tous les deux, et peu à peu, quand l'effet du traumatisme sera un peu estompé, votre malade reprendra ses esprits et son courage et pourra envisager de nouveaux traitements. Une rechute n'a pas la même signification selon les cancers. Si pour certains, elle signe une mort relativement proche, pour d'autres, les traitements peuvent permettre de longues rémissions, parfois même des guérisons.

Soyez là pour écouter sa détresse, mais aussi l'encourager à reprendre espoir. A ce stade, des traitements étant encore possibles, c'est aux médecins et à vous-même qu'il appartiendra de lui redonner confiance. Vous serez de toute façon étonné(e) par la capacité de lutter qui existe chez tout être. Mais sachez que l'appui de l'entourage et sa tendresse seront essentiels au malade pour l'aider à lutter. Il aura besoin de ce soutien *indispensable* pour recommencer à nouveau toute une série d'examens, en attendre les résultats, affronter un nouveau diagnostic, des thérapeutiques différentes selon la nature du mal qui vient de réapparaître.

VIVRE AVEC LA MALADIE

Une rechute oblige le patient (la patiente) à continuer les traitements plus longtemps (chimiothérapie en particulier). L'effet de saturation est donc fréquent. Il reflète aussi le désir du patient d'entendre le médecin lui dire : « On arrête tout ; vous êtes à nouveau guéri. » Car le traitement est pour lui la cause de son mal-être.

Quant aux effets secondaires, il sont très variables : selon l'âge, le tempérament de la personne, le stade de la maladie, également le désir profond de guérir (cf. la chimiothérapie). *Vous devez profiter des moments où il (ou elle) est en forme pour entraîner votre parent(e) et l'empêcher de sombrer; avoir de l'imagination.* Si son état physique le lui permet, proposez-lui chaque fois que possible une promenade à pied ou en voiture, une séance de cinéma, une halte à la terrasse d'un café, une rencontre avec des amis.

Encouragez-le (la) à reprendre son activité professionnelle, mais *surtout, prenez le temps de « vivre à deux »*; faites-lui comprendre à quel point vous y tenez.

Il est également important que vous aussi vous ayiez vos moments de détente, d'évasion, et que vous y puisiez les forces qui vous seront nécessaires, plus tard, pour le soigner.

Vivre avec la maladie, c'est aussi envisager, de façon calme, l'avenir, quel qu'il soit. Tous ne sont pas capables de le faire. Parfois, l'angoisse de mort est telle que la seule façon de s'en défendre est de n'y point penser.

Certains, en revanche, décident de mettre leurs affaires en ordre

« C'est ce qu'a fait Benjamin, atteint d'un cancer du poumon : Très lucide sur son état, et sans illusion aucune sur les chances de s'en tirer, il a commencé par confier à sa femme et à son médecin une lettre disant qu'il ne voulait aucun acharnement thérapeutique sur sa personne ; puis il s'est mis à rédiger son testament, ce qui, dit-il, le distrait et l'occupe. Ensuite, il a pris une série de rendez-vous, avec son notaire, sa banque, son assureur, etc., et il a convoqué ses enfants pour les mettre au courant de ses dispositions. Enfin, il a poussé le souci du détail jusqu'à organiser ses obsèques, qu'il voulait très intimes, et à dresser lui-même la liste des parents et amis dont il souhaiterait être accompagné à sa dernière demeure. Cela fait, il se sentit très soulagé et serein.» (Cf. « La maîtrise de soi, mécanisme de défense ».)

LA RELATION DU MALADE AVEC SES MEDECINS

La rechute perturbe souvent la relation du malade avec son médecin. Il peut effectivement perdre confiance : il a fait ses traitements avec un grand scrupule et pourtant, il a rechuté.

Deux situations peuvent se produire :

La rupture

Votre parent(e) considère ses médecins comme fautifs. Il n'est pas de notre propos ici de juger des traitements suivis, mais certains malades ne conçoivent leur rechute qu'en la rejetant sur les médecins. Si c'est le cas, n'hésitez pas, aidez-le (la) à changer d'équipe. En effet, la confiance est indispensable, nous l'avons déjà souligné, pour accepter la lourdeur des traitements. Ce, d'autant plus, s'agissant d'une rechute, car votre parent sera amené à fréquenter longtemps son médecin, pour le meilleur et pour le pire.

La relation est maintenue

Votre parent(e) comprend implicitement que le médecin n'est pas fautif, mais que son mal est difficile à combattre. Ils seront tous deux dans une situation ambiguë : le médecin, parce que son savoir médical est mis à l'épreuve. Encore moins qu'avant, il pourra donner à son patient (sa patiente) des réponses absolues. En ce qui concerne ce dernier (cette dernière) et à sa question : « Quand pourrai-je arrêter le traitement ? », et devant le silence embarrassé du médecin, le malade se sentira dans une situation de dépendance indéfinie.

LA RELATION DE LA FAMILLE ET DES MEDECINS

Plus la maladie évolue et devient invalidante, plus sera renforcée la dépendance de votre parent(e) vis-à-vis de vous. De ce fait, vos rapports avec les médecins deviendront aussi plus fréquents.

De plus en plus, vous serez amené(e) à aider votre parent(e) et à le (la) suivre dans ses déplacements et ses démarches : traitements, examens, consultations, multitude de papiers à remplir. Devant sa lassitude et parfois son découragement, il sera pénible pour vous de le persuader de continuer à se soigner.

Si la maladie s'aggrave, n'hésitez pas à en discuter avec les médecins.

Tentez de trouver avec eux les meilleurs aménagements, le confort de vie le plus souhaitable pour votre parent(e).

Soyez diplomate

Les médecins redoutent souvent les réactions des familles lorsqu'ils constatent qu'il n'y a plus beaucoup d'espoir de guérison. Si vous n'osez pas prendre rendez-vous de votre propre chef avec le médecin, parce que vous avez le sentiment de trahir quelque peu votre proche, parlez-en plutôt au médecin de famille, ou au psychologue du service, ou encore, appelez « Ecoute-Cancer », ils vous aideront à trouver une solution.

Le recours aux médecines dites « parallèles », « alternatives » ou « douces »

Il ne faut sans doute pas mettre sur le même plan toutes les médecines autres que scientifiques. Mais c'est souvent au moment d'une rechute, ou lorsque la médecine traditionnelle est en échec que les familles, désemparées, ont recours aux médecines différentes.

L'état de votre malade s'aggrave

Vous vous inquiétez, frappez à toutes les portes, et cherchez par tous les moyens à le soulager. Lui-même, découragé par les traitements, veut abandonner ses séances de chimiothérapie ou de radiothérapie, et tout envoyer promener.

Les médecines parallèles ou dites « douces », vous en avez entendu parler. Vous avez lu des articles çà et là. En effet, il n'est pas de mois où ne fleurissent des publications qui font jaillir un espoir inconsidéré dans les familles, en vantant leurs mérites dans la guérison des cancers. Pourquoi, pensez-vous alors, puisque la médecine traditionnelle a échoué, ne pas faire appel à ces médecines parallèles, tout tenter ?

« Sujet passionnel, dit le professeur Schraub[1], où se mêlent parfois le faux espoir, le dernier recours, la magie, la "secte", et sur lequel nous

---

1. Pr. Simon Schraub, chef de service Radiothérapie, Hôpital Jean Minjoz, Besançon.

voudrions attirer votre attention et votre vigilance. Le terme de médecine parallèle est impropre, dit encore le professeur Schraub, il n'y a que des médecines non prouvées. La médecine douce est aussi la médecine molle. Sachez que le corps médical n'est hostile à aucune thérapie à condition que les preuves d'*innocuité* et d'*efficacité* de ces thérapies aient été faites.»

« ... Actuellement, l'idée de la mort n'est plus acceptée et l'on demande à la technologie de résoudre tous les problèmes. En face d'un danger qu'il ne maîtrise pas, l'homme a besoin d'irrationnel et se tourne vers les médecines non prouvées. »

Certaines médecines douces plus connues, comme l'homéopathie ou l'acupuncture, si elles n'ont pas démontré leur action directe contre le cancer, constituent parfois, pour certains malades, une aide appréciable qui leur permet de mieux supporter les traitements traditionnels. Pourquoi pas ? Ce qui importe, c'est le bien-être de votre parent(e).

Cependant, *soyez très vigilants*. Les thérapeutiques moins connues sont souvent onéreuses. D'autre part, si ces méthodes s'étaient montrées efficaces de façon avérée, elles seraient universellement reconnues.

Enfin, quelles que soient les décisions que vous prendrez, de préférence avec l'accord de votre généraliste, faites en sorte que votre parent(e) n'interrompe *jamais* les traitements en cours. Au pis aller, ajoutez-lui ce *plus* qui, du moins sur le plan psychologique, le soulagera peut-être.

Et si la mort devient la seule issue ?

LES MEDECINS NE VOUS L'ONT PAS CACHE, « NOUS NE POUVONS PLUS RIEN POUR VOTRE MALADE »

Cette mort inéluctable de l'être que vous chérissez, vous ne pouvez vous résoudre à l'admettre. C'est à proprement parler insupportable. Alors vous vous posez des questions et vous en posez à l'équipe soignante : « N'y a-t-il vraiment plus rien à faire ? A-t-on tout essayé ? Combien de temps cela peut-il durer ? » Question à laquelle aucun médecin ne peut répondre. L'expérience montre que la mort (bien qu'expérience incommunicable) est vécue différemment selon les individus. En mourant, nous sommes assez semblables à ce que nous avons été jusque-là. D'une part, notre culture occidentale accepte mal la mort, d'autre part, c'est tout notre passé, notre histoire, nos convictions, qui jouent un rôle dans ce passage.

Tous les patients qui se rapprochent de la mort répondent-ils à la définition donnée par L. Schwartzenberg et P. Viansson-Ponte : « Le malade, surtout celui qui va mal, est l'être le plus seul qui soit au monde. Victime d'une maladie encore inconnue, objet de soins mystérieusement confiés à des mains étrangères, isolé face à l'équipe médicale qui tire les ficelles de son destin, tenu à distance par sa famille, à l'écart par la société, il est seul comme il ne l'a jamais été de sa vie, avec au fond de lui-même, la pensée lancinante de la mort, de la mort possible, de la mort prochaine. »

Si vous vous sentez assez solide pour accompagner votre malade jusqu'au bout, et capable d'assumer cette situation insupportable, rien ne sera plus fort que votre amour, votre tendresse, pour briser sa solitude.

Mais si vos activités, ou vos responsabilités, vous empêchent d'être présent, *si vous vous sentez trop fragile pour affronter cette expérience*, riche mais douloureuse, *faites-vous aider sans remords.*

L'important est de garder une disponibilité intérieure : quelques heures par jour, soyez là, tout à lui (ou elle).

Le cas de Robert est exemplaire. Sa femme, hospitalisée depuis des semaines, se meurt d'un cancer du cerveau. Les médecins ne lui laissent plus aucun espoir. Tous les traitements sont arrêtés et l'hôpital ne veut plus la garder. On veut la renvoyer chez elle. Il est désespéré, il ne sait plus quoi faire. Matériellement, il est impensable d'envisager le retour de sa femme à la maison ; il travaille toute la journée et ne peut s'organiser seul, sans aide extérieure, difficile à trouver, voire impossible ; et d'autre part, il a de jeunes enfants qu'il faut préserver. Il se demande même comment faire pour les préparer doucement à la disparition de leur maman. La famille, qui refuse de voir la vérité en face, ne lui est pas d'un grand secours, « c'est une véritable partie de cache-cache », dit-il.

Si, comme pour Robert, le Centre hospitalier ne veut plus garder votre malade, il doit vous aider à trouver une autre solution, au cas où il vous serait impossible de le (la) reprendre chez vous. Bien sûr, vous souhaiteriez, comme il (elle) en a lui (elle)-même parfois exprimé le désir, qu'il (elle) termine ses jours chez lui (elle), entouré(e) des siens.

Mais en même temps, cette perspective vous semble effrayante, vous vous sentez trop stressé(e), dans l'incapacité d'assumer seul(e) la garde et les soins, parfois nuit et jour. Peut-être pourrez-vous bénéficier de l'hospitalisation à domicile, et d'une aide ménagère de la Mairie, ce qui serait sans doute insuffisant ? D'autre part, vos moyens financiers ne vous permettent pas de recourir à du personnel infirmier. Si vous avez la chance d'avoir des enfants qui se relaient auprès de votre parent(e), la solution sera peut-être trouvée. Mais les enfants sont souvent loin, indisponibles.

Si vous êtes dans l'embarras le plus complet et épuisé(e) par vos gardes, il faudra vous adresser au Service Social de la Mairie de votre domicile ou à l'assistante sociale de l'hôpital, qui essaieront de vous aider et de trouver un établissement pour accueillir votre parent(e). Si vous habitez Paris ou sa banlieue, sachez qu'il existe des établissements spécialisés destinés à recevoir les malades dits « en phase terminale ».

Ces maisons sont connues pour leurs équipes qualifiées et chaleureuses, habilitées à accompagner les malades en fin de vie, à les soulager, et à entourer leurs familles. D'autre part, existent aussi depuis peu des Centres de soins palliatifs, malheureusement trop peu nombreux encore.

ET SI LES SOUFFRANCES DE VOTRE MALADE DEVIENNENT INTOLERABLES ?

Au sein même des membres de la famille, des avis divergents peuvent apparaître. Les uns seront partisans de tout tenter, d'autres en revanche refuseront tout acharnement thérapeutique.

Votre malade, lui-même, a peut-être pris des dispositions sur ce sujet (voir le cas de Benjamin). S'il est à la maison et que son médecin-traitant ne se sente pas capable de résoudre le problème, adressez-vous à une consultation spécialisée de la douleur, ou au cancérologue. Les services de soins palliatifs sont particulièrement aptes à répondre à cette demande, mais nous l'avons dit, ils sont encore trop peu nombreux.

LA PRESENCE PHYSIQUE, CHALEUREUSE, EST UN DES MEILLEURS SOUTIENS

Si vous avez pu résoudre vos soucis domestiques et en être déchargé(e), vous pourrez faire acte de présence physique auprès de votre proche. En lui prouvant votre amour, vous adoucirez ses derniers instants. Car les angoisses des mourants sont les mêmes en toutes circonstances : peur d'être abandonné, peur d'être coupable, peur de n'avoir pas réglé certaines questions, peur de la souffrance. Elles seront peut-être amplifiées.

QUELQUES REACTIONS FREQUENTES QU'IL FAUT RESPECTER

S'il vous paraît parfois agressif, exigeant, tyrannique, dites-vous bien que ces attitudes sont liées à son état et en aucune façon dirigées contre vous. Au contraire, il a *besoin de vous*, de votre chaleur, de votre amour, et vous êtes son interlocuteur privilégié. Essayez de répondre à ses exigences en évitant de vous impatienter.

Vous êtes parfois déconcerté(e), car votre malade fait des projets d'avenir (y croit-il ?), en même temps, il se sent las et évoque sa mort prochaine. Il est fréquent de constater ces contradictions :

Désir de vivre : on fait des projets, mais devant un état physique qui ne s'améliore pas, leur réalisation devient impossible, et votre parent(e) se déprime.

Désir de mourir : il ne supporte plus les traitements, veut qu'on le laisse en paix ; tout ce qu'il souhaite, c'est le repos.

Devant des attitudes aussi changeantes, vous êtes décontenancé(e). Faut-il faire des projets avec lui ? Faut-il l'empêcher de penser à sa mort ? Vous-même êtes peut-être aussi dans le même état d'esprit, oscillant entre espoir de guérison et acceptation d'une issue fatale ?

Ecoutez-le, entrez dans son jeu, et s'il parle de sa mort, ne le contrariez pas. En effet, le contredire, peut l'enfoncer dans une solitude extrême, faute de pouvoir l'exprimer.

Certains ne pourront jamais évoquer leur mort prochaine, ou de manière symbolique seulement ; d'autres souhaitent au contraire le dialogue, pour mettre en ordre leur fin de vie, tant d'un point de vue matériel que psychique (cf. Benjamin).

« Telle Madeleine, qui a une conscience aiguë de son état et sait qu'elle va mourir. Elle en parle et demande à retourner dans la maison qu'elle aime où, dit-elle, elle se sent sereine. Un jour, au cours d'un entretien, elle évoque un souvenir d'enfance qui l'a hantée toute sa vie et dont elle n'avait jamais pu parler jusque-là. Cela se passait pendant la guerre : des amis juifs de ses parents leur avaient confié leur

fille, âgée comme elle de treize ans. Elles allaient à l'école ensemble et les parents avaient donné la consigne à Madeleine de ne jamais laisser son amie rentrer seule de l'école. Un soir, celle-ci discutait avec d'autres élèves. « Pour une fois, dit-elle à Madeleine, tu peux me laisser, je rentrerai seule. » Madeleine ne voulant pas trop insister, rentra sans elle. Et ce soir-là, son amie disparut. Toute sa vie, Madeleine s'est sentie coupable de cette disparition. D'avoir pu en parler, de prendre conscience avec quelqu'un que cette responsabilité était sans doute trop lourde pour une enfant de treize ans, fit que Madeleine termina sa vie, soulagée.

SAVOIR RECONNAITRE LA DEPRESSION

Vous êtes la seule personne que votre parent(e) accepte à son chevet. Il ne parle plus beaucoup. Bien souvent, il commence d'une certaine façon à se détacher de la vie. Il faut le respecter. Par contre, s'il ne semble pas serein (pleurs, angoisse), soyez là, bien sûr, mais demandez au médecin une aide médicamenteuse, sinon psychologique.

ET VOUS, DANS TOUT CELA ?

Vous êtes aussi disponible qu'on peut l'être, aussi solide qu'il est nécessaire pour supporter ces épreuves que sont les derniers moments d'un être cher. Mais cependant, vous vous sentez à bout de chagrin, à bout d'épuisement. Vous êtes sur le point de craquer. Alors, n'hésitez pas. Prenez un peu de repos ; de temps à autre, demandez à quelqu'un de votre entourage de vous remplacer, ne fût-ce qu'une heure, auprès de votre malade. Faites une promenade, quelques courses ; rencontrez des amis. Vous reviendrez plus détendue. Et *surtout, ne vous culpabilisez pas.*

EFFETS PSYCHOLOGIQUES RENCONTRES CHEZ LE CONJOINT OU LES PARENTS DU (DE LA) PATIENT(E)

Nous avons abordé les problèmes psychologiques qui se posent à votre parent(e) et ce que vous pouviez faire pour mieux les vivre. Nous supposions ainsi que rien ne s'opposait pour vous à envisager une aide psychologique, parfois lourde à supporter.

MAIS TOUT NE VA PAS FORCEMENT DE SOI, POUR VOUS NON PLUS

La maladie, en effet, n'est pas seulement un bouleversement pour le malade lui-même, elle l'est aussi pour tout son entourage (cf. Découverte de la maladie). Celui-ci doit reconsidérer sa vie en fonction de l'aide qu'il lui faut apporter. C'est toute une partie de lui qui est mise au service de son parent (sa parente). Soutenir un (une) malade pendant de longs mois, sinon de longues années, est une rude tâche. Le bon sens populaire dirait que cela demande des « nerfs à toute épreuve » et « un moral d'acier ». Cette force de caractère n'est pas donnée à tout le monde, notamment à ceux qui ont eux-mêmes des difficultés à s'épanouir. A toutes vos angoisses et à toutes les questions que vous vous poserez sur cette maladie, s'ajouteront inévitablement d'autres problèmes, matériels, financiers, ou autres, que vous ne serez peut-être pas préparé(e) à affronter. Si votre mari, tout à coup pris dans l'engrenage de la maladie, doit s'arrêter de travailler, être hospitalisé, subir une intervention chirurgicale ; si votre femme, épuisée par une cure chimiothérapique, ne peut plus assumer les charges quotidiennes de la maison, il se produira un renversement de situation dans le foyer et une adaptation à cette nouvelle donnée, difficile. Pour vous, cela constituera une double épreuve, morale et matérielle, un bouleversement total de l'existence de chaque jour. Vous réagirez de votre mieux, selon votre propre tempérament ; ce sera à votre entourage proche de le comprendre et de vous aider, vous aussi. Ainsi confronté(e) à l'angoisse, à la révolte, voire au désespoir, vous pouvez adopter, sans même vous en rendre compte, un comportement qui fera souffrir votre parent(e).

LA FUITE : UN COMPORTEMENT RELATIVEMENT FREQUENT

Il peut prendre différentes formes : depuis la rupture brutale (d'un couple, par exemple) jusqu'à la fuite plus « psychologique ». Cette attitude, on l'observe à divers stades de la maladie ; soit dès l'annonce du diagnostic, soit pendant les traitements (l'entourage en supporte mal les effets secondaires), soit même après la fin des traitements, quand la guérison est en bonne voie.

Peut-on émettre l'hypothèse que cela dépend du degré de « culpabilité » de celui qui fuit ? Plus il se sent coupable, plus longtemps il attend la fin des traitements pour disparaître.

Les hommes auraient-ils une propension à être plus « fuyants » ?

Sans émettre un jugement, ni prendre aucune position, il nous a semblé, d'après tous les cas venus à notre connaissance, que la situation se présentait différemment selon qu'il s'agissait de l'homme ou de la femme malade dans le couple.

Les femmes seraient-elles plus enclines à choyer l'être cher, à le materner ? Plus fortes peut-être pour supporter les épreuves et les partager ? Et les hommes, plus fragiles ? plus craintifs ? moins dévoués ? Bien sûr, il ne faut pas généraliser et le débat est éternel...

Ce côté maternel que la femme offre souvent au sein du couple quel qu'il soit prend ici toute son ampleur, dès lors que celle-ci se mobilise pour aider son conjoint gravement atteint.

Certains hommes, en revanche, supportent mal de voir leur compagne malade, amoindrie, ne pouvant plus compter sur les qualités maternelles et sécurisantes qu'ils recherchent.

Il n'en demeure pas moins que d'autres voient leurs liens renforcés, même si c'est la femme qui est malade.

« Examinons le cas de Colette : Elle a vécu en harmonie parfaite pendant des années avec un homme de douze ans son cadet. Quand la maladie se présenta et qu'elle dut subir une mastectomie, cet homme fut tout à fait présent, attentif, aimant. Rien ne changea dans leurs rapports sexuels. Mais quelques mois après sa convalescence, quand elle eut retrouvé une vie normale, il lui parla de son désir de fonder un foyer et d'avoir des enfants, ce qui n'était plus possible pour elle. Un jour, il lui présenta une jeune fille qu'il épousa et dont il eut quatre enfants. Ses liens d'amitié avec Colette n'en furent pas rompus pour autant. Elle est même devenue la marraine d'un garçon. Mais les années ayant passé, et après avoir réfléchi, Colette est maintenant persuadée que la vraie raison de la fuite de son ami a été motivée par la peur et le refus. Peur de la contagion ? Refus de la mutilation ? Toutes choses qui ont constitué pour lui une épreuve insupportable et sans doute inconsciente de sa part. »

« Pour Germaine et Annie, c'est tout leur entourage qui semble fuir, sans rompre avec elles toutefois : "La famille de Germaine s'est-elle jamais posé la question de savoir ce que celle-ci éprouvait depuis le début de son cancer et comment on pouvait l'aider ? Car, s'il est déjà difficile d'affronter la maladie, dans son cas un cancer du sein et des métastases osseuses, il est plus pénible encore d'être incomprise des siens : sa sœur vient la voir de temps à autre mais, mal à l'aise, ne sait quel comportement adopter ; ses parents ne veulent pas admettre la réalité ; son mari s'éloigne, il ne supporte pas la maladie de sa femme et leur fils a quitté le foyer familial."

« Quant à Annie, opérée d'un cancer du sein, elle se désole. "Depuis ma maladie, dit-elle, je ne vois mon mari que rarement ; il est toujours dehors. Mes enfants ne me supportent plus. Comme leur père, ils s'éloignent de moi." »

La place que tenait le (la) malade au sein de la famille joue un rôle important dans le vécu de la maladie, surtout s'il (ou elle) était en quelque sorte le pilier de la famille.

La fuite, reflet de la peur

Vous fuyez parce que vous avez peur. Peur d'affronter la maladie de près, peur de voir souffrir celui ou celle sur qui vous vous êtes toujours appuyé(e), peur de la contagion

(« mythe du cancer »), un peu comme si, étant en contact direct avec le cancer, il risquait de vous entraîner dans son sillage.

De même, vous pouvez craindre d'être contaminé lors des rapports sexuels. Si votre peur persiste à ce sujet, informez-vous. Il serait souhaitable pour l'avenir de votre couple que vous ayez des entretiens avec votre médecin de famille à l'écoute, ou même un psychologue, afin de surmonter cet obstacle (cf. les cancers touchant les organes sexuels).

L'exemple d'Eglantine est caractéristique d'une peur éprouvée par la famille. « *Eglantine a eu un cancer. Elle est guérie depuis six ans et depuis six ans, son fils l'empêche de voir sa petite-fille. Il a peur de la contagion. A un point tel qu'au début, lorsque la fillette venait encore voir sa grand-mère, son père la suivait partout, à l'affût des objets qu'elle pouvait toucher, en particulier dans la salle de bains, pièce plus intime. Seuls, maintenant, subsistent des contacts téléphoniques entre la petite-fille et les grands-parents, ce qui rend ceux-ci bien malheureux.* »

Vous avez peur de « craquer »

Il vous semble qu'en conservant un rapport trop intime avec votre parent(e), il vous sera impossible de lui cacher vos pleurs ou votre angoisse, ce qui ne peut qu'accroître son mal. Alors vous « fuyez » les échanges, vous vous gardez de tout ce qui rappelle la maladie, l'hôpital, vous ne posez aucune question, vous n'en soufflez mot. Vous vous noyez dans le travail, vous débordez d'activités.

Ne vous enfermez pas dans ce comportement de fuite

A long terme, cela ne peut que nuire à votre malade et à vous-même (Germaine, Annie, Eglantine). Apparemment, votre proche prend bien en charge sa maladie, ses traitements ; mais comme chacun de nous, et bien davantage, il (elle) éprouvera des sentiments de fragilité et de désespoir. Avez-vous pensé à sa solitude extrême dans ces moments-là ? Vous-même, avec cette attitude assez incontrôlée, risquez de voir réapparaître une culpabilité plus dérangeante que de coutume. Si vous fuyez, c'est aussi parce que vous ne parvenez pas à formuler toute l'angoisse et la tristesse qui vous étreignent. Alors, cherchez à en parler avec une personne bienveillante *.

Si l'on vous aide à vous exprimer et à dire franchement le fond de votre pensée, vous serez plus détendu(e) et chercherez moins à fuir. Ce sera aussi moins blessant pour votre malade.

Vous fuyez, malgré votre bonne volonté

Tout ce qui a trait aux « blouses blanches » et aux soins vous panique (cf. l'exemple de Georges).

« Quant à Virginie, elle est désolée. Maintes et maintes fois n'a-t-elle pas demandé à son

mari de l'accompagner à l'hôpital, le jour où elle doit subir ses traitements. Pourtant très attentif, celui-ci refuse catégoriquement. En revanche, après chaque séance dont elle revient épuisée, il lui offrirait volontiers un bijou. »

Vous fuyez « malgré vous » : l'absence de communication

« *Mireille a vingt ans. Elle partage depuis plusieurs mois la vie d'un jeune homme de vingt-trois ans. Marcel est atteint d'un cancer des poumons et des os. Il ne lui a jamais parlé de sa maladie, et quand il s'absente pour suivre son traitement de chimiothérapie, il prend prétexte d'un voyage ou d'un besoin de tranquillité. Elle n'est pas dupe et sait qu'il se rend dans le Centre hospitalier de la ville voisine. Le problème de Mireille est douloureux : à plusieurs reprises, Marcel l'a suppliée de le quitter. Or, elle sait à quel point il a besoin d'elle et elle ne veut l'abandonner à aucun prix. Respectueuse de ses silences, elle n'ose lui parler, lui exprimer son attachement, rompre sa solitude. Mais ce manque de communication entre eux, malgré leur amour, lui est insupportable. Comment faire comprendre à Marcel qu'elle est là, bien présente, et ne désire que l'accompagner dans ses souffrances ? Pourquoi, se demande-t-elle, cherche-t-il tant à la protéger ?* »

Quel genre de relations ont-ils eu jusque-là, au point qu'il ne la croit pas capable d'affronter la vérité ? Etait-ce lui, le « protecteur » dans le couple ? Avant d'essayer de lui parler, ne serait-il pas souhaitable de lui démontrer par son attitude et sa tendresse qu'elle aussi peut le protéger ? Ainsi, peu à peu, parviendra-t-elle à savoir pourquoi il semble la fuir.

Vous lui en voulez d'être malade

Vous ne pouvez maîtriser votre agressivité, vous niez la gravité de la maladie. Cette attitude est fort mal vécue par les patients, qui ne la comprennent pas : Comment un être cher et dont on croyait aussi être aimé(e) peut-il se conduire si cruellement ? C'est difficile à concevoir, mais cette agressivité est à la mesure de l'amour qu'il (ou elle) porte à la personne malade. Amour exclusif, intransigeant, qui n'accepte aucune faiblesse chez celui (ou celle) qui en est l'objet, car il en dépend trop psychologiquement.

« *Angèle est soignée depuis trois ans pour un cancer du sein, avec de courtes interruptions de traitement. Le processus cancéreux semble difficile à enrayer. Elle souffre infiniment du comportement de son mari, qui non seulement nie la gravité de son état, mais se montre très agressif dans ses propos à son égard et tout à fait passif d'autre part. "Tu n'es pas à la hauteur de ta maladie, lui dit-il, la comparant à sa belle-sœur qui affronte une troisième césarienne sans se plaindre... Comme à son habitude, il ne participe à aucune tâche ménagère et la laisse dormir à terre quand elle souffre trop et préfère être seule. Dans le même temps, il lui dit "Comment vais-je faire sans toi ?" Angèle songe à le quitter ; mais sans travail, submergée par ses traitements, elle ne peut s'atteler à aucun projet concret. L'attitude de son mari n'est pas nouvelle. Angèle s'est mariée très jeune, après une enfance difficile, souffrant d'un manque d'affection et d'incompréhension. Elle souhaitait fonder une "vraie" famille et communiquer avec son mari. Elle s'est rapidement rendu compte de son erreur. La vie ne serait pas ce qu'elle avait désiré : tout faire à la maison, s'occuper seule de sa fille, son mari n'ayant jamais accepté la naissance de celle-ci ; elle-même n'étant jamais l'objet d'aucune attention. Sa maladie lui a permis de renouer avec ses parents adoptifs mais a aggravé les dissensions avec son mari."* »

Manque de maturité du mari ?

Cette intransigeance, cette incapacité à aider l'autre sont sans doute liées à une difficulté à s'assumer soi-même. Ce couple a été privé d'affection. S'étant mariés l'un et l'autre pour combler un manque, ils ont vu leur équilibre déjà précaire être ébranlé par la maladie.

Vous vous sentez, vous aussi, en danger moral devant la maladie. Encore une fois, parlez-en, défoulez-vous avec une personne plus neutre * ; les jours du malade semblent comptés, peut-être est-il temps de vous réserver des moments plus sereins ensemble ?

Evitez les mots « qui font mal »

« Pierrette, opérée sans discontinuer depuis dix ans, vient de subir l'ablation des deux seins. Son mari menace de l'abandonner en lui disant "qu'elle n'est vraiment plus bonne à rien".

« Ma fille a honte de moi, dit Juliette, elle aussi mastectomisée. Elle ne supporte pas que je me montre en maillot de bain devant ses amies. »

« De même Edith, autrefois très proche de sa sœur et qui souffre maintenant de se sentir rejetée par elle depuis qu'elle est malade. N'a-t-elle pas entendu cette phrase jetée sûrement sans mauvaise intention : "Tu ne peux tout de même pas me rendre responsable de ton cancer !" »

La saturation : une cause d'agressivité ou de dépression

Vous avez donné beaucoup de vous-même ; vous vous sentez vidé(e). Vous vous reprochez d'avoir été brutal(e) avec elle (ou lui) parce que vous n'en pouviez plus.

« La fille de Clémence, dix-huit ans, pendant toute la maladie de sa mère, a pris en main les rênes de la maison, s'occupant de son jeune frère et de son père, retraité et invalide, avec compétence et autorité. Mais un jour, fatigue ? ras-le-bol ? et comment ne pas le comprendre, elle a craqué et lancé à sa mère : "Tu m'as privée de mon adolescence !" »

Ces mots-là, exprimés au comble de la saturation, seront mieux acceptés, même douloureusement. Mais si c'est possible, n'en restez pas là. Expliquez-vous, car cela peut renforcer d'autant la culpabilité de certains patients à être un poids pour leur entourage. Clémence aurait tout aussi bien pu faire ce reproche à son père invalide. Inconsciemment a-t-elle pensé que sa mère était plus capable de l'entendre. N'était-ce pas aussi une façon d'exprimer son agressivité vis-à-vis de la mère, fréquente chez une jeune fille de son âge ?

Un renversement des rôles

Un renversement des rôles, à long terme, peut être mal supporté.

« *Isabelle a été atteinte d'une maladie de Hodgkin quelques années auparavant. Pendant deux ans, elle a subi de lourds traitements de chimiothérapie et de radiothérapie. Quand elle est tombée malade, ses enfants étaient encore jeunes (cinq et deux ans). Elle était comptable, son mari aide-soignant dans une clinique. Au début, tout le monde s'est mobilisé et l'a entourée avec tendresse. "Pourtant, dit-elle, il y a des moments qu'on ne peut partager avec personne." Son mari, malgré ses occupations, a pris tout en mains, la maison, le ménage, les enfants, à un point tel qu'elle s'est sentie peu à peu devenir inutile, dépossédée qu'elle était de toutes ses besognes domestiques. On n'attendait vraiment plus rien d'elle : elle était trop épuisée. Elle qui naguère s'investissait tant dans ses enfants, pensait qu'on n'avait plus besoin d'elle. Puis les traitements étant terminés, ses forces recouvrées, et la maladie guérie, certains troubles et malaises consécutifs à ses traitements apparurent ; entre autres, elle eut des phases dépressives. Elle se rendit compte alors qu'après avoir été entourée et surprotégée par les siens, il lui fallait garder pour elle ses souffrances nouvelles et n'en rien dire. Manifestement, elle lassait son entourage. On ne voulait plus entendre parler de cette maladie, ni des séquelles qui s'ensuivaient. A quoi s'ajoutaient, dans son couple, des problèmes d'ordre sexuel qui avaient sans doute toujours existé mais qui ne faisaient qu'aggraver sa solitude.* » Pour Clémence comme pour Isabelle, les efforts fournis par les membres de la famille ont été si grands qu'ils ne se sentent plus capables de s'investir à nouveau. L'entourage d'Isabelle ne supporte plus ses plaintes ; ils ont tellement donné ! Comment peut-elle en demander davantage ?

Aussi bien durant sa maladie, alors qu'Isabelle se sentait devenir inutile, qu'au moment de sa guérison, où elle aurait dû retrouver sa place comme si de rien n'était, on peut supposer qu'il n'y avait eu, entre les époux, aucun dialogue.

Ils se sont protégés mutuellement, lui en assumant toutes les charges, elle, plus tard, en n'évoquant jamais ses souffrances pour ne pas les imposer à nouveau à son mari. Tout cela dans une incompréhension totale.

Prenez le temps de vous parler

Et dites-vous que plus la maladie est avancée, plus grande sera l'exigence du malade. D'autre part, autant qu'il est possible, préservez-vous pour éviter la saturation.

Vous êtes débordé(e) par la situation

Vous ne savez plus que faire, quelle décision prendre. Il se peut, par exemple, que votre parent(e) ait toujours eu un naturel renfermé et solitaire. Le fait d'avoir un cancer ne fera qu'accentuer cette tendance et ce sera une épreuve supplémentaire pour vous.

« *C'est le cas de Gabrielle dont le mari se sait malade et a des idées suicidaires. Elle est d'autant plus angoissée et affolée qu'il lui a dit qu'il la tuerait avant de se donner la mort. Les enfants et la famille nient l'évidence et la gravité de la situation. Elle vit dans une anxiété telle qu'elle envisage de lui cacher la vérité si les analyses à venir ne sont pas satisfaisantes. Elle se sent complètement perdue.* »

Si vous vivez une épreuve semblable, n'hésitez pas à consulter un psychologue * qui vous aidera à porter un fardeau trop lourd pour vous seul(e), ou un médecin généraliste qui vous écoutera et vous prescrira des remèdes appropriés. Mais *prenez soin de vous-même avant qu'il ne soit trop tard* et que vous ne sombriez dans une dépression profonde.

De même, *quel que soit le problème que vous*

ayiez à résoudre, qu'il soit psychologique, moral, ou d'ordre matériel, faites appel à un ami, un proche, un voisin, *parlez-en autour de vous, mais ne le ressassez pas en permanence, seul.*

Christiane, au contraire, elle, a pris les choses en mains, la difficulté étant de ne pas se tromper. Si dans son cas, les décisions qu'elle a prises ont eu un résultat spectaculaire, d'autres situations sont moins évidentes. Vous voulez tout tenter, par exemple, pour sauver l'être aimé alors que dans votre for intérieur, vous savez que ce n'est plus possible. Parlez-en à plusieurs médecins, demandez plusieurs avis. Evitez de vous créer de faux espoirs. La déception serait d'autant plus grande pour vous deux (cf. médecines parallèles).

DEVANT LA SOUFFRANCE DE VOTRE PROCHE, VOUS N'OSEZ PLUS « VIVRE BIEN », NI VOUS PLAINDRE

Il arrive parfois que l'entourage d'un malade n'ose pas exprimer sa douleur, comme si, face à celle de l'être aimé, il existait comme une culpabilité à être en bonne santé. Cet état d'âme se retrouve en particulier chez les parents de jeunes adultes (nous ne parlons pas dans ce livre des enfants atteints).

« Tel est le cas d'Adélaïde, dont la fille, âgée de vingt-trois ans, vient d'être touchée par un cancer — déjà avancé — quelques mois auparavant. Fille brillante, sur le point de se marier, "elle avait tout pour être heureuse", dit sa

mère. Depuis le début de sa maladie, Adélaïde se torture en se demandant ce qui a péché dans son éducation qu'elle voulait très "pensée". Depuis leur naissance, ajoute-t-elle, j'ai essayé de donner à mes trois enfants tous les moyens d'être heureux ; de ne pas trop les couver afin qu'ils deviennent autonomes, et de leur montrer à quel point il était important de réussir ses études (elle-même ayant été très peu aidée dans sa jeunesse). "Alors, pourquoi cette maladie ? Q'ai-je bien pu faire ?" se demande-t-elle. Il lui semble qu'être malade à la place de sa fille lui serait beaucoup moins insupportable. »

Adélaïde pensait qu'on pouvait tout maîtriser. Certains parents croient qu'ils ne sont pour rien dans l'avenir de leurs enfants : « C'est son tempérament », d'autres, à l'excès, comme Adélaïde, ont un avis opposé. Elle a dû faire appel à une aide psychologique qui, au fil des entretiens, lui a permis de comprendre pourquoi elle se sentait si fautive, et un peu plus tard, d'aborder avec plus de sérénité le deuil de sa fille qui venait de disparaître.

UN CAS UN PEU PARTICULIER : COMMENT VIVRE AVEC... QUAND VOUS-MEME AVEZ UN CANCER ?

Le cas est plus fréquent qu'on ne croit d'un couple atteint d'un cancer, soit simultanément, soit un époux après l'autre. Serait-ce dû au choc que le premier a reçu à l'annonce du cancer de son conjoint, ou simple coïncidence ?

Quoi qu'il en soit, on ne peut que constater le fait sans donner de réponse.

Cette situation crée bien souvent des complications supplémentaires.

« Tel est le cas de Gilbert, atteint d'un cancer du poumon et de métastases osseuses. Il souffre beaucoup, est seul chez lui et désemparé : sa femme, cancéreuse elle aussi, est hospitalisée depuis trois mois. Or l'hôpital ne veut plus la garder. Il est hors de question qu'elle regagne son domicile puisqu'aucun des deux n'a la force de s'occuper de l'autre. Quant aux enfants, ils sont loin et dispersés. »

Si semblable problème se pose un jour à vous, de toute urgence, adressez-vous au service social de la Mairie de votre domicile, à l'assistante sociale de l'hôpital où votre conjoint est soigné (et qui devrait lui trouver un lieu d'accueil) ; éventuellement, prenez contact avec le Comité Départemental de la Ligue Nationale contre le Cancer (voir adresses utiles) qui tenteront de vous venir en aide.

QUEL COMPORTEMENT ADOPTER VIS-A-VIS DES ENFANTS ?

Quel que soit leur âge, les enfants ont très vite conscience de la gravité de la maladie. Ne les tenez pas à l'écart mais, dès le début, mettez-les au courant de ce qui arrive à un de leurs parents. Expliquez-leur succinctement le déroulement des traitements, afin qu'ils se préparent à le (la) voir fatigué(e), plus ou moins disponible, plus ou moins nerveux. Faites-leur comprendre que leur tendresse et leurs attentions seront primordiales pour son moral et sa guérison. Cependant, agissez avec doigté et ne centrez pas à l'excès leur vie de tous les jours sur la maladie de leur parent(e). Il pourrait en découler une trop grande culpabilité qui risquerait de perturber leur évolution.

Observez un juste milieu entre « ne rien dire » et « tout dire »

Ne rien dire peut avoir des effets néfastes, car les enfants perçoivent plus ou moins consciemment la gravité du mal, sans toutefois pouvoir le formuler. A leur insu, ils seront angoissés. D'autre part, tout dire, ou trop en dire, peut leur donner un sentiment de culpabilité d'autant plus grand qu'ils se sentiront impuissants face à une situation si dure. Fournissez-leur suffisamment d'éléments pour qu'ils puissent les comprendre à leur façon et vous poser ensuite toutes les questions qui leur viendront à l'esprit. Informez-les petit à petit. Si les choses devaient s'aggraver, ainsi l'enfant serait-il mieux préparé à toute éventualité. Faites en sorte également qu'ils maintiennent le plus longtemps possible une relation avec leur parent malade, tant que les souffrances de ce dernier permettent encore des échanges entre eux. L'enfant pourra se faire lui-même une représentation de la maladie et mieux aborder le deuil éventuel de son parent.

Comment le lui annoncer ?

Sans doute ne sera-ce pas utile. S'il ne pose pas de questions, mais s'il a vu son parent très malade, sa mort ne constituera pas vraiment une surprise. Il vous faudra l'aider à faire son deuil. Si au contraire, il vous pose des questions, ne lui mentez pas. Ces questions ne seront pas forcément posées au moment de la mort, mais parfois bien plus tard. Donnez-lui alors toutes les explications qu'il demande. *N'en faites pas un sujet tabou.* Si vous-même avez encore du mal à en parler, demandez à un membre de la famille ou à un ami de le faire à votre place. Il est indispensable à l'enfant, pour continuer à se construire et à s'épanouir, qu'il puisse intégrer la mort de son père ou de sa mère dans son histoire.

Cette mort deviendra une donnée particulière de sa personnalité. Si elle reste un point obscur, cela risquerait d'être un obstacle à son épanouissement.

Les effets sur la scolarité : être vigilant

Selon les enfants, l'anxiété inhérente à la maladie de leur parent aura un effet positif ou négatif. Prévenez discrètement son maître ou son professeur principal de la situation qu'il vit chez lui, afin qu'il puisse lui prêter une attention particulière. Certains vont travailler avec plus d'ardeur que jamais, pour soulager le parent d'un poids, pour lui faire plaisir aussi ; peut-être seront-ils mûris précocement par la situation.

En même temps, l'école constitue une échappatoire à tout ce qui se passe à la maison. Ne vous étonnez pas si un enfant a tendance à se défouler sur vous qui n'êtes pas malade ; ne prenez pas son agressivité et ses énervements au pied de la lettre, dialoguez avec lui le plus possible. Mais il est évident que cela représentera pour vous un souci supplémentaire.

D'autres enfants, au contraire, ne parviennent plus à se concentrer sur leur travail à l'école et risquent l'échec. Si vous en avez la possibilité, faites appel à un tiers pour les aider à travailler. Ils se sentiront plus soutenus et cette relation (peut-être avec un jeune étudiant ?) sera bénéfique sur le plan moral aussi.

CONCLUSION

A plusieurs reprises, au cours de cette lecture et pour éviter des répétitions fastidieuses, vous avez été amené(e) à rencontrer cette petite *. Une bonne étoile ? En tout cas, un signe qui vous renverra à une personne attentive, bienveillante, neutre, voire anonyme, qui serait à l'écoute de vos préoccupations et de vos chagrins. Ce pourrait être un ou une amie, un médecin traitant, un membre d'une association, un « écoutant » d'« Ecoute-Cancer », en quelque sorte une personne disponible, dégagée de ses propres préoccupations pour pouvoir écouter l'autre. Et pourquoi pas un psychothérapeute (psychologue, psychiatre ou psychanalyste) ? Peut-être, comme certains, êtes-vous farouchement « contre » ?, inquiété(e), dérangé(e) par les « psy » ? et tenez-vous le même langage : « Les psy, c'est pour les fous ; ils sont d'ailleurs un peu fous eux-mêmes ! »

Notre seule intention était d'encourager nos lecteurs à parler, à exprimer leurs émotions, à ne pas garder pour eux toute leur angoisse. Car nous pensons que trop de gens ignorent encore qu'en parlant, en se déchargeant de leur souffrance sur autrui, ils seront mieux à même d'affronter une réalité douloureuse : « A quoi ça sert de parler, ça ne changera rien », entend-on souvent. *C'est une erreur*, notre expérience nous a fait comprendre la trop grande solitude de personnes en proie à leur détresse et qui avaient un infini besoin de se confier et d'être écoutées.

Des gens qualifiés sont là pour cela. Non pour vous juger, mais pour vous aider à trouver en vous-même la force de lutter avec, et pour, votre malade.

Mais pourquoi eux ? Parce qu'ils seront objectifs face à la situation, alors que votre famille, elle, est aussi plus ou moins traumatisée par la maladie et pas forcément capable d'entendre vos pleurs et de supporter votre angoisse.

Chacun de nous, à un moment quelconque, peut connaître une période de crise. Ne croyez pas pour autant que cela relève de la pathologie. Il suffit parfois d'un entretien pour éclairer une situation et la dédramatiser. Vous jugerez ensemble de la nécessité de prolonger ou non ces entretiens.

Ainsi parviendrez-vous à mieux « vivre avec un malade cancéreux », à ne pas être passif devant les événements et leur réalité pénible.

Vous évoluerez, vous apprendrez à mieux comprendre et apprécier la vie, même à ses limites extrêmes.

ADRESSES UTILES

A.S.S.A.D. (Association Soins et
Services à domicile)
15, rue Eugène-Millon
75015 Paris Tél. 45.30.01.74
Santé-Service Tél. 47.78.16.08
Service et soins à domicile
4, rue Tessier - 75015 Paris Tél. 47.34.79.04
Gardes :
Mission Vietnamienne Tél. 43.35.20.72
H.A.D. (Hospitalisation à domicile)
Voir l'Assistance Sociale de l'Hôpital
Infirmières-Assistance
5, Passage Thiéré - 75011 Paris Tél. 43.55.43.50

**LES ASSOCIATIONS
AU SERVICE DES MALADES**

1. VIVRE COMME AVANT (pour les femmes ayant subi l'ablation d'un sein)
   8, rue Taine - 75012 Paris - Tél. 43.43.87.39
2. ILCO-FRANCE - Fédération des Stomisés de France
   187, boulevard Murat
   75016 Paris Tél. 45.27.13.70
   La branche « Jeunes »
   18-35 ans - Bitche Tél. 87.96.14.32

3. INFORMATIONS ET ASSISTANCE AUX STOMISES (I.A.S.)
   Centre Hospitalier de Grenoble
   38700 Grenoble
4. UNION DES ASSOCIATIONS DE LARYNGECTOMISES ET MUTILES DE LA VOIX
   148, avenue de Wagram
   75017 Paris Tél. 47.63.45.36
5. FEDERATION NATIONALE DES LARYNGECTOMISES
   8, rue de la République
   13000 Marseille Tél. 91.91.05.63
6. LIGUE NATIONALE CONTRE LE CANCER
   1, avenue Stephen-Pichon
   75013 Paris Tél. 45.84.14.30
7. « ECOUTE-CANCER »
   Ecoute téléphonique anonyme
   de 9 h 30 à 18 h 30 du lundi au vendredi
   Tél. 45.02.15.15
8. S.O.S. AMITIE Tél. 42.96.26.26
   42.61.31.31
9. S.O.S. DEPRESSION Tél. 43.25.33.33
   24 h × 24 h
10. CENTRE D'INFORMATION SUR LES CANCERS Tél. 46.77.08.08

LES NUMEROS DE L'ESPOIR : A.R.C.
(cassettes enregistrées) Villejuif

(De la province, composer d'abord 16-1)

Le cancer,
téléphonez au 47.26.86.02

Les signes d'alerte qui peuvent sauver du cancer, téléphonez au 47.26.86.03

Vivre sans Tabac,
téléphonez au 47.26.86.09

Radiothérapie et Cancer,
téléphonez au 47.26.86.14

Le Cancer de l'utérus,
téléphonez au 47.26.86.21

Le dépistage du Cancer de l'utérus,
téléphonez au 47.26.86.25

Le Cancer du sein,
téléphonez au 47.26.86.30

L'auto-examen des seins,
téléphonez au 47.26.86.34

La leucémie,
téléphonez au 47.26.86.36

Le Cancer du poumon,
téléphonez au 47.26.86.37

Le Cancer de l'estomac,
téléphonez au 47.26.86.51

Le Cancer du côlon,
téléphonez au 47.26.86.55

Le Cancer de la prostate,
téléphonez au 47.26.86.58

La maladie de Hodgkin,
téléphonez au 47.26.86.61

Le SIDA,
téléphonez au 47.26.86.62

Le Cancer de la vessie,
téléphonez au 47.26.86.64

Le Cancer du larynx,
téléphonez au 47.26.86.80

Le Cancer de la bouche,
téléphonez au 47.26.86.81

Le Cancer de la peau,
téléphonez au 47.26.86.83

Le Cancer du foie,
téléphonez au 47.26.86.84

Le Cancer du rein,
téléphonez au 47.26.89.04

Le Cancer du pancréas,
téléphonez au 47.26.89.06

Le Cancer de l'œsophage,
téléphonez au 47.26.89.07

Le Cancer des os,
téléphonez au 47.26.89.09

Le Cancer du testicule,
téléphonez au 47.26.89.11

Le Cancer de la thyroïde,
téléphonez au 47.26.89.12

**SOINS PALLIATIFS
ET PHASE TERMINALE**

Hôpital de la Cité Universitaire
42, boulevard Jourdan
75014 Paris Tél. 45.89.47.89

Hôpital de la Croix Saint-Simon
125, rue d'Avron
75020 Paris Tél. 47.97.05.29

Hôpital Paul Brousse
14, avenue Paul-Vaillant-Couturier
94804 Villejuif Tél. 47.26.50.00

Hôpital Charles Foix
7, avenue de la République
94206 Ivry Tél. 46.70.15.92

Maison Médicale des Dames du Calvaire
(Jeanne Garnier)
55, rue de Lourmel
75015 Paris Tél. 45.79.45.83

Hôpital Cognacq Jay
15, rue Eugène-Millon
75015 Paris Tél. 48.28.40.47

QUELQUES ADRESSES POUR L'HEBERGEMENT DES FAMILLES DE MALADES A PARIS

1. LE ROSIER ROUGE
   16, avenue du Général-de-Gaulle
   97170 Vanves — Métro :
   Tél. 46.45.61.94 — Corentin-Celton
2. RESIDENCE MAGENDIE
   2 et 4, rue Magendie — Métro :
   75013 Paris — Glacière
   Tél. 43.36.13.61 — Gobelins
3. LA CROISEE
   38, rue de Laborde — Métro :
   75008 Paris — Saint-Augustin
   Tél. 45.22.25.23 — Gare Saint-Lazare
4. RESIDENCE MARIE MOIZARD
   5, avenue du Bois de Verrières
   92160 Antony — R.E.R. :
   Tél. 46.66.99.87 — Antony

QUELQUES DEFINITIONS

A.C.E. :

Antigène carcino-embryonnaire. C'est une substance, en général une protéine, qui est présente dans l'organisme en quantité plus importante quand existent certains cancers ou leurs métastases.

Adénome :

Tumeur bénigne d'un tissu glandulaire.

Adryamicine :

Un des médicaments les plus employés en chimiothérapie.

Aplasie médullaire :

Disparition temporaire, par toxicité médicamenteuse, des cellules de la moelle fabriquant les globules sanguins.

Biopsie :

Prélèvement d'un fragment d'organe ou de tumeur dans le but de le soumettre à un examen microscopique pour un diagnostic.

Catheter :

Tube en plastique introduit dans un vaisseau ou dans un conduit de l'organisme pour diffuser un médicament ou un produit en vue de réaliser des radiographies.

COTOREP :
Commission Technique d'Orientation et de Reclassement Professionnel.

Chimiothérapie :
Traitement d'un cancer par des corps chimiques visant à arrêter le développement des cellules anarchiques cancéreuses.

Chimiothérapie néo-adjuvante, ou première :
S'administre dès le diagnostic, avant tout traitement local.

Cis-platinum :
Un des corps chimiques en question.

Cobalt :
Corps radio-actif qui est utilisé à distance pour la radiothérapie ; on dit aussi cobaltothérapie.

Colposcopie :
Examen du col de l'utérus et du vagin avec un appareillage optique, très grossissant, permettant de voir distinctement les zones suspectes et de faire des prélèvements.

Coloscopie — on dit aussi colonoscopie :
Examen qui permet de voir l'intérieur du côlon, en passant un tube souple par l'anus.

Corticoïdes :
Substances de synthèse analogues à la cortisone, hormones des capsules surrénales.

Curiethérapie :
Traitement par contact avec des corps radioactifs qui détruisent les cellules cancéreuses — souvent sous forme d'aiguilles radio-actives (radium, célésium).

Cystectomie :
Ablation de la vessie.

Drill biopsie :
Ponction avec un appareillage qui permet d'enlever une « carotte » de tissu suspect pour examen anatomopathologique du tissu, opposé à la ponction biopsie qui ne ramène que des cellules isolées (sous anesthésie).

Dysphagie :
Difficulté ou douleur pour avaler.

Dysphonie :
Difficulté ou douleur pour parler.

Dysplasie :
Modification des cellules superficielles d'une muqueuse pouvant évoluer vers un cancer (on en parle surtout pour le col de l'utérus).

Dyspnée :
Difficulté ou douleur pour respirer.

Echocardiographie :
Examen par échographie du cœur.

Echographie :
Examen des organes profonds par l'émission d'ultrasons renvoyés par ces organes comme un radar (examen du foie, du sein, du fœtus pendant la grossesse).

Endoscopie :
Tous les examens des organes internes que l'on peut faire en introduisant un tube souple dont les fibres de verre conduisent une lumière froide dans toutes les cavités possibles : péritoine, vagin, bronches, œsophage, estomac, côlon, utérus, vessie, etc.

Fibroscopie :

Endoscopie de l'estomac, ou des bronches...

Frottis cervico-vaginal :

Frottis de la muqueuse du col de l'utérus et du vagin pour ramener des cellules qui sont étalées et fixées sur une lame à fin d'examen. A distinguer d'une biopsie où l'on examine un fragment de tissu et sa configuration.

Immunité :

Moyen de défense de l'organisme contre les agressions diverses telles que virus, microbes, organes implantés, cellules cancéreuses.

Interféron :

Substance naturelle augmentant les défenses immunitaires.

Laser :

Emission de rayons lumineux utilisés dans le traitement des tumeurs bénignes ou malignes, entre autres indications médicales.

Leucose ou leucémie :

Modification en nombre et en qualité des globules blancs du sang.

Look :

Mot anglais qui signifie regard ; il est employé médicalement dans la formule « deuxième look », c'est-à-dire second regard dans le péritoine par cœlioscopie ou laparoscopie, après une chimiothérapie, pour vérifier le résultat obtenu sur la métastase péritonéale.

Marqueurs :

Voir A.C.E.

Mastose :

Anomalies non cancéreuses des tissus du

sein, souvent plus accentuées avant les règles, d'origine hormonales, devant être surveillées, car elles peuvent occulter l'apparition d'un cancer.

Mésothérapie :
Méthode consistant à injecter en sous-cutané, par plusieurs petites aiguilles à la fois, un médicament ou un cocktail de médicaments antalgiques ou autres ; il s'agit d'un mode d'introduction des médicaments plutôt que d'un traitement spécifique.

Myélographie :
Etude des cellules de la moelle osseuse prélevées par ponction au niveau du sternum. Ce peut être aussi un examen radiographique avec un produit de contraste (Amipack) introduit par ponction lombaire dans le canal situé au centre des vertèbres où se trouve la moelle épinière (recherche de hernie discale, de cancer vertébral).

Nécrose (pus) :
Cellules mortes.

Ostéosarcome :
Cancer des os.

R.M.N. :
Appareil à résonance magnétique nucléaire pouvant aider à la découverte de très petites modifications des tissus, même très profondément situés, par l'intermédiaire d'un aimant, après injection de certaines substances. Les résultats sont décodés de façon informatique.

Sarcome :
Tumeur cancéreuse développée à partir du tissu conjonctif.

Sarcome de Kaposi :
Cancer de la peau, disséminé, fréquent dans la phase ultime du SIDA.

Scanner :
Système complexe radiologique utilisé à la recherche de toutes les anomalies dans toutes les parties du corps. Parfois, pour certaines localisations, on injecte par voie intraveineuse un liquide de contraste. Le corps est de ce fait découpé visuellement en tranches horizontales très fines. La lecture des résultats est décodée de façon informatique.

Séminome :
Une des formes de cancer du testicule.

Stomie :
Dérivation pour l'évacuation des matières fécales.

T.I.S. Tumeur in situ :
Lésion cancéreuse à son début, très petite, limitée, en général guérissable.

Traitement adjuvant :
Traitement venant en supplément d'un autre, la chimiothérapie en particulier.

BIBLIOGRAPHIE

- Ancelin-Schutzenberger A., *Vouloir guérir, l'aide aux malades* (éd. Erès-La Méridienne).
- Bianco P. and Co, *L'accueil et l'information des opérés du sein en radiothérapie.*
- Cachin Y., *La psychologie du cancéreux lors de l'annonce du traitement et pendant la durée du traitement* (Encycl. Méd. Chir. Paris — Cancérologie 555 A 10).
- Cros P., *Oui, on peut vivre sans larynx* (éd. par l'Union des Associations françaises des laryngectomisés et mutilés de la voix).
- Denis H., *Voie sans issue* (éd. Subervie-Rodez).
- Jacquillat C., Pucheu S., *La guérison du cancéreux dans les médias* (Psychologie médicale, septembre 1988, vol. 20).
- Jeammet P., Reynaud M., Consoli S., *Psychologie médicale* (éd. Masson).
- Pucheu S. :
  — *La vérité en cancérologie* (Bulletin du Syndicat National des Psychologues, n° 57, septembre 1984).

— *Devenir psychologique de 68 patients cancéreux* (Neo-Adjuvant Chemotherapy, novembre 1985, vol. 137).
— *Le sentiment de guérison et ses aléas psychiques* (Psychologie médicale, septembre 1988, vol. 20).

- Revue *Vivre,* 1er trimestre 1989.
- Revue *Les mutilés de la voix,* mai 1980.
- Revue *Psychologie médicale,* octobre 1983, vol. 16 (éd. S.P.E.I.).
- Revue *Psychologie médicale,* septembre 1988, vol. 20.
- Schraub S., *La magie et la raison,* 1987 (éd. Calmann-Levy).
- L. Schwartzenberg, P. Viansson-Ponte, *Changer la mort* (éd. Albin Michel).
- Simonton M. et S., *La famille, son malade et le cancer (hommes et groupes* (éd. Epi).
- Verdoux C., *Questions et réponses à « Ecoute-Cancer » à propos des cancers du sein* (Conception-Fertilité-Sexualité, 1988, vol. 16 n° 12, p. 1041 et 1044).

TABLE DES MATIERES

S.E.G. 92320
Numéro d'impression : 4523
Dépôt légal : novembre 1989